KB063027

4차 산업혁명 요소 기술

아두이노를 이용한 IoT 디바이스 개발 실무

4차 산업혁명 요소 기술

IoT 아두이노를 이용한 IoT 디바이스 개발 실무

박현준 · 이상진 · 권민주 공저

光文閣
www.kwangmoonkag.co.kr

머리말

최근 수년간에 갑자기 불어 닥친 차세대 산업혁명(4차 산업혁명)과 연계된 교육과 관련하여 교육 현장에서의 효과적인 교육을 실현하기가 쉽지 않음이 현실이다.

인공지능, 사물인터넷(IoT), 클라우드 컴퓨팅, 빅데이터, 모바일 등 첨단 정보통신기술이 경제 · 사회 전반에 융합되어 실세계 모든 제품과 서비스를 네트워크로 연결하고 사물을 지능화하는 4차 산업혁명 시대를 맞으면서 교육 현장에서는 기존의 교재와 교육 장비에 IoT를 비롯한 네트워크 시스템 등의 교육 교재와 실습 장비를 활용하는 것이 불가피하게 되었다.

이에 교육 현장과 산업 현장에서 실무를 담당하는 교수진과 장치 개발 실무자로 구성된 공동 저자는 본 교재를 집필하였다.

본 교재는 국가직무능력표준(NCS : National Competency Standards)에서 요구하는 개발 실무 중심으로 그 내용을 기초기술 습득과 응용 능력을 익힐 수 있도록 쉽게 집필하여 학습자가 스스로 학습할 수 있는 것이 특징이다.

실습을 위해 IoT Platform은 KT의 IoTMakers를 이용하였고, IoT 디바이스는 IoTMakers Starter Kit를 이용하였다.

실습 내용은 디스플레이(LED, FND), 액추에이터(Servo 모터), 아날로그 센서(조도센서), 디지털 센서(온도센서)와 같이 IoT 디바이스 실습의 대표적인 장치들을 모듈로 제작하여 다양한 분야들을 두루 실습할 수 있도록 구성하였다.

또한, Arduino 프로그래밍을 이용하여 IoT 디바이스를 구현할 수 있도록 하였고, IoT 디바이스를 개방형 IoT Platform과 손쉽게 연동할 수 있도록 하여 누구나 쉽게 IoT의 전체적인 흐름을 이해할 수 있도록 하였다.

그리고 IoT 기술 분야에서 가장 중요한 역할을 하는 IoT Platform의 이해를 돕기 위해 초보자가 접근하기 쉬운 Platform으로 KT IoTMakers를 사용하여 IoT 디바이스의 모니터링, 제어, IoT 디바이스 간의 이벤트 설정 등을 통해 다양한 IoT Service를 구현할 수 있도록 하였다.

아무쪼록 이 책을 통해 4차 산업혁명의 요소 기술인 사물인터넷(IoT) 기술을 이해하는 데에 조금이나마 도움이 되기를 바란다.

저자 일동

CONTENTS

PART

01

4차 산업혁명 요소 기술 아두이노를 이용한 IoT 디바이스 개발 실무

4차 산업혁명

PART 01 4차 산업혁명

1.1 4차 산업혁명이란

2016년 다보스 포럼(World Economic Forum)을 기점으로 4차 산업혁명에 따른 미래 사회로 변화에 대한 전망이 쏟아지기 시작했다. 주요 국가들은 4차 산업혁명에 선제적으로 대응하고 미래 사회를 주도하기 위해 정부 차원에서 다양한 전략과 정책을 수립하여 추진하고 있으며, 기업은 제조업, 서비스업의 혁신을 넘어 산업 전반으로 변화에 대응하고 있다.

특히 물리 세계가 비트 세계로 전환되는 디지털 변혁(Digital Transformation)으로 산업 간 경계가 사라지고 융합이 일어나는 4차 산업혁명의 핵심은 소프트웨어(SW)에 있으며, 이를 토대로 기술/산업 구조가 변화하고, 일자리 지형이 변화하며, 미래 사회에서 요구되는 직무 역량도 변화할 것으로 전망하고 있다.

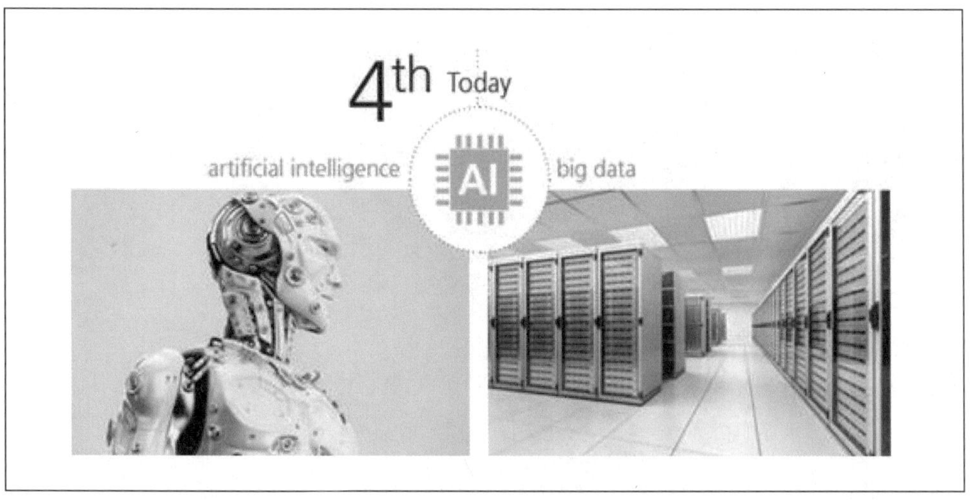

[그림 1-1] 4차 산업혁명 [출처] 연합뉴스(www.yonhapnews.co.kr)

1.2 4차 산업혁명의 특징

4차 산업혁명은 20세기 후반 이후 정보통신 기술을 기반으로 한 인터넷 확산과 정보 처리 능력의 획기적 발전을 기초로 하며, IoT, 클라우드, 빅데이터 및 인공지능 등의 디지털화를 기반으로 물리적 · 생물학적 영역을 포함한 모든 영역의 경계가 없어지고 연결성이 극대화되는 한편, 융합이 가속화되어 기존과 완전히 다른 생산-소비 패러다임의 디지털 경제를 일컫는 것으로 정리될 수 있다.

산업혁명이라는 개념 자체가 기존 체제의 운영 방식을 획기적으로 고도화 및 변혁한다는 측면에서 볼 때, 1차와 2차 산업혁명은 각각 새로운 동력원의 등장으로 인한 기계의 육체노동 대체와 전기에너지로의 진화로 인한 효율성 증대를 통한 시장경제의 활성화와 관련이 깊다. 한편, 3차와 4차 산업혁명은 정보화 및 이의 진화로 인한 기계의 지식노동 대체와 이를 통한 시장경제의 재편과 관계가 깊다.

즉, 컴퓨터 및 인터넷 등을 기반으로 한 다양한 정보의 산출과 교류에 3차 산업혁명의 핵심이 있다고 보면, 4차 산업혁명은 정보의 단순한 산출, 축적 및 교류에 그치지 않고, 실시간의 완전한 연결성을 통한 대량 정보의 산출, 소통 및 융합과 이를 기반으로 한 지능화를 통하여 연결된 모든 것의 자율화를 추진하는 데에 있다. 다시 말해, 3차 산업혁명까지는 하드웨어 중심의 방식이었다면, 4차 산업혁명에서는 소프트웨어에 기계를 결합하는 방식으로 이동하며, 데이터가 가치 창출의 핵심에 위치하고 있다는 것이다.

또한, 3차 산업혁명의 핵심 키워드가 IT 기술을 기반으로 한 정보화, 자동화였다면 4차 산업혁명의 핵심 키워드는 초연결(Hyper-Connectivity) 기반의 지능화(Intelligence)를 통한 자율화(Autonomisation)라고 볼 수 있다. 여기서 연결성은 물리적 공간과 인터넷상의 공간이 연결되어 다양한 데이터가 발생 및 이동되는 것이며, 지능화는 집적된 데이터의 분석 및 활용을 통해, 실제 현실의 사물 제어가 가능한 수준이 되는 것이며, 자율화는 이를 통해 제품 생산과 서비스가 자율적으로 이루어지는 것을 말한다.

〈표 1-1〉 각 산업혁명의 단계별 변화

	1차 산업혁명	2차 산업혁명	3차 산업혁명	4차 산업혁명
시기	18세기 후반	19~20세기	20세기 후반	2000년대 이후
연결성	국가 내부 연결성 강화	기업-국가 간 연결성 강화	사람·환경·기계의 연결성 강화	자동화, 연결성의 극대화
최초 사례	방직기 (1784)	신시내티 도축장 (1870)	PLC:Modicon084 (1969)	
혁신 동인	증기기관 (Steam Power)	전기에너지 (Electric Power)	컴퓨터, 인터넷 (Electronics & IT)	IoT, 빅데이터 AI 기반 초연결 (Hyper-Connection, CPS)
	동력원의 변화(유형자산 기반)		정보 처리 방식의 변화(무형자산 기반)	
특징: 원인	기계화	전기화	정보화	지능화
특징: 결과	산업화 (Industrialisation)	대량 생산 (Mass Production)	자동화 (Automation)	자율화 (Automisation)
			기계, SW가 데이터를 생산	데이터가 기계, SW를 제어
현상	영국 섬유공업의 거대 산업화	컨베이어 벨트 활용 기반 대량 생산 달성한 미국으로 패권 이동	인터넷 기반의 디지털 혁명, 미국의 글로벌 IT 기업 부상	사람-사물-공간의 초연결, 초지능화를 통한 산업구조 개편

자료: 김상훈 외 "4차 산업혁명, 산업부 발표자료(2017.2)"에서 재인용.

주: 사이버물리시스템(CPS: Cyber-Physical System): 건물, 도로, 전력망, 공장 등의 사물에 통신, 컴퓨터 등 ICT 기술을 융합하여 사이버상에서 물리시스템을 이해하고 제어하는 기술을 의미.

1.3 4차 산업혁명과 국가별 비교

4차 산업혁명에 대한 세부 정의와 대응 전략에 있어서 각 국가는 차이를 보이고 있는데, 이는 독일, 미국 등 4차 산업혁명 선도국은 물론 기타 강소국도 자국의 현황 및 국가혁신 전략 등과의 일관성 및 연계성을 고려하여 '4차 산업혁명' 정책을 추진하기 때문이다.

독일의 인더스트리 4.0 전략은 제조업과 IT 시스템을 결합한 스마트 공장의 추진이 핵심이며, 배경에는 제조업 비중 하락과 생산인구 감소 대응 및 고임금 사회 추구와 에너지를 포함한 자원 효율성 추구가 포함되어 있다. 인더스트리 4.0 전략은 2010년 '하이테크 전략 2020(High-Tech Strategy 2020)'의 5대 수요 분야의 10대 하부 과제 중 하나이며, 2014년 '신 하이테크 전략(New High-Tech Strategy)'의 5대 추진 전략과 6대 중점 분야 중 하나인 디지털 경제 및 사회 추진의 세부 과제 중 하나로, 프로젝트 형태의 정책 성격이 강하다. 한편, 동 전략에서는 중소기업 경쟁력 유지와 고임금 노동자 시대에 부합하는 미래 노동 형태 설계가 중요하며, 민간 협회를 중심으로 플랫폼 인더스트리 4.0을 구성하여 정부의 강력한 지원하에 장기적 관점에서 관련 정책을 추진하고 있다.

반면, 미국은 GE, IBM 등 미국 대기업과 화웨이, 보쉬 등 타국 기업을 포함한 산업인터넷 컨소시엄(IIC)을 구성하여 추진하고 있으며, 주로 기존 산업의 효율성을 증대시키는 IT 분야에서 사업 모델을 창출하는 데 목적이 있다. 이들 추진 전략은 수익 극대화 및 IT에서의 미국의 거점 · 패권화 전략 관점이 강하며, 중소기업 및 일자리에 대한 관심은 상대적으로 작다.

일본의 정책은 민생 해결형 관점이 강하다. 일본은 전 세계 최고 제조 강국이나, 고령화 및 생산인구 감소 측면에서도 심각한 수준에 도달해 있다. 로봇 등 일본의 최고 경쟁력 분야 선점과 함께 전원 참가형 일자리 구조 개편 및 관련 인재 육성 등 이슈의 동시 해결을 목적으로 하고 있다.

한편, 이들 선진국 이외에도 여러 나라에서 4차 산업혁명을 역동적으로 추진하고 있는데, 영국 및 프랑스뿐 아니라 싱가포르, 스웨덴, 오스트리아, 이탈리아, 스페인, 벨기에, 호주 및 아시아의 대만, 말레이시아, 태국 등이 자국의 기술 및 산업 현황과 연계하여 차별화된 비전과 전략을 추진 중이다. 예를 들어 싱가포르의 경우 고학력 인재를 활용할 수 있는 데이터 중심 의료 바이오 R&D, 기존의 MRO 기지의 강점 및 글로벌 가치사슬을 감안한 항공기 엔진 생산기지 전환과 스마트 공장화, 로봇 응용 연구 허브화, 상기 내용을 융합한 적층 가공 기술 개발 등을 기반으로 산학연 및 해외 기업 연계를 통한 4차 산업혁명을 추진하고 있으며, 호주 역시 자국의 국가 혁신 과학 어젠다(NISA: National Innovation & Science Agenda)를 보조하는 위치에서, 기술 우위 분야인 의료, 광공업과 적층가공 분야 등을 중심으로 4차 산업혁명 정책을 추진 중이며, 상대적으로 정책 후발 국가인 점을 고려하여 관련 분야 최고 기업의 수장을 중심으로 TF를 추진하여 실행 중심의 전략을 구사하고 있다.

〈표 1-2〉 외국 주요 국가 4차 산업혁명 추진 방향 및 특징

	국가	정책 유형 및 방향	4차 산업혁명 대응 동향 및 특징
전통 제조 강국	독일	• 프로젝트형/패권형 • 추진 기간: 장기 • 인간과 기계의 협업 - 독일 제조업의 경쟁력 유지 - 스마트 공장: 독일 생산기술로 세계 석권, 세계의 공장을 만드는 공장의 지위 확보	- 추진 주제: 대·중·소기업, 협회 및 산학연 연계와 강력한 정부 지원 - 주요 컨소사업: Plattform Industrie 4.0 - 인더스트리 4.0을 통해 제조 혁신의 전반적 프레임 제시 - 서비스를 포함한 성공적 혁신 도모를 위해 Smart Service World 2025(2015)추진 - 표준: De Jure Standard(산업표준화 추진 후 국제 표준화) - 사례: Audi AGV 등
전통 제조 강국	미국	• 거점형, 패권형 • 추진 기간: 중장기 • 인간 관점 별무 - 기존 시설·장비의 전략적 활용 - IT 기술에서 사업 모델을 창출하여 수익 원천 확보 - 설계·제조 및 신소재 관련 신프로세스 개발	- 추진 주제: 대기업 위주, IT 기술 위주, 산학연 연계 미흡 - 주요 컨소사업: IIC(Industrial Internet Consoritium) - 제조업 자체보다는 제조 혁신을 도모하기 위한 산업인터넷, 3D 프린팅 등 새로운 영역 집중 - 첨단 제조 파트너십(AMP), 선진 제조 연구시설(IMI) 설치 등을 통한 첨단 제조 육성 지원 및 Smart America Challenge(2013), New Innovation America(2015) 프로그램을 통해 사업 기회 적극 발굴 - 표준: De Facto Standard(시장 경쟁하에서 국제 표준화) - 사례: GE Predix 등
전통 제조 강국	일본	• 민생 해결형/주력 산업형 • 추진 기간: 중단기 • 인간 중심 자동화, 히토쯔쿠리 - 기존 공정 생산성 제고 - 설비·공장·공정의 미시적 관점에서 방안 모색 - 기존 강점 제품 기반으로 로봇 등 신산업 분야 집중 - 산업인터넷 컨소시엄 출범 및 빅데이터, 인공지능 분야 투자 확대	- 추진 주제: 로봇·부품 관련 대기업, 중소 전문 기업, 산학연 연계 초기 - 주요 컨소사업: IVI(Industry Value Chain Inititative) - 제조업 보완 관점에서 4차 산업혁명을 추진하고 있어, 독일, 미국보다는 보수적인 접근을 취하고 있음 - 로봇, 기계, 제어계측 등 일본이 강점을 가진 분야에 초점 - 최근 빅데이터, IoT 등 IT 분야의 전반적 경쟁력 제고 방안을 포함한 신산업 구조 비전(2015)과 4차 산업혁명 선 전략(2016)을 발표 - 표준: Loose Standard(기밀과 공개를 동시 추구) - 사례: Edge Computing 등
전통 제조 강국	중국	• 복합 추구형/패권형 - 제조 대국에서 제조 강국으로의 전환 - 제조업 및 인터넷 강국을 목표로 정부 중심 전략 수립	- 거대 내수시장 기반으로, 정부주도 신산업 혁신전략 추진 - 중국 제조 2025: 세계 최고 수준의 제조 강국 비전을 제시하고 이를 위한 신산업 중심의 제조 혁신 전략 마련 - 인터넷플러스: 기존 제조업을 한 단계 발전시키기 위한 수단으로 ICT 기술 활용
강소국	싱가포르	• 민생 해결형/신산업형 -우수한 인재 중심의 고부가치 제조업 육성 - 전략 산업과 연계	- 항공, 전자 부품, 화학, 바이오의료, 해양플랜트, 물산업 등 자국의 전략 산업을 중심으로 선택과 집중적 정책 추진 - 싱가포르 i4.0은 특정 기술 분야에서 싱가포르에 진출한 다국적 기업과 연계한 현장 중심적 산학연 프로그램 마련
강소국	호주	• 문제 해결형 - 제조업 부활 :기존에 우수한 경쟁력을 보유하고 있는 기술 및 산업과의 연계	- 4차 산업혁명을 계기로 식음료, 의료, 석유/가스, 광공업, 적층제조 등 자국이 강점을 보유한 분야의 혁신 도모 - 기업, 협회 등 민간 차원에서 4차 산업혁명 대응 필요성이 제기되었고, 호주 정부는 국무총리 직속의 Industry 4.0 TF를 2016.4월 결성하여 국가혁신계획과 연계한 대응 방안 추진

자료: 산업연구원(KIET)

1.4. 기업별 4차 산업혁명 대비 현황

국내외 기업들이 4차 산업혁명 핵심 기술을 개발해 제조 공정, 물류 관리, 주식시장, 엔터테인먼트, 저널리즘, 의료 등의 분야에 적용하고 있다.

〈표 1-3〉 국내외 기업별 4차 산업혁명 대비 현황

	국외		국내	
기업 및 기관명	구글	2016년 5월 구글 개발자 컨퍼런스에서 인공지능을 탑재한 대화형 음성 비서 '어시스턴트', 가정용 디지털 비서 '구글 홈', 인공지능 기반 채팅앱 '알로'를 발표함	네이버	2012년부터 네이버랩을 운영 중이며, 음성 인식 검색서비스, 사진 분류 서비스, 지식 iN 딥러닝 기술을 작용 중
	IBM	Ross라는 슈퍼컴퓨터 왓슨을 기반으로 한 세계 첫 인공지능 변호사를 미국 대형 로펌 베이커&호스테들러에 납품함	엔씨소프트	인공지능 기반 게임 개발에 집중하여 AI 랩을 운영 중임
	아마존	신속한 배송과 정확한 물류 관리를 위해 인공 지능을 도입함 - 드론 배송, 자동 주문 배송 시스템, 클라우드 기반 음성 인식 인공지능 Alexa	다음카카오	여행지 추천 서비스 및 즉답 검색 서비스에 머신러닝 기술을 활용
	바이두	뉴스와 주식시장, 바이두 검색 엔진 데이터에 인공지능 기술을 적용해 주가와 테마주를 예측하는 주식 앱 스톡마스터를 출시함	다음소프트	소셜 빅데이터 분석, 로보 트레이딩, 로보 저널리즘 분야에서 서비스 제공 및 개발 중
	소프트뱅크	2014년 6월 인간형 감성 인식 로봇인 페퍼(Pepper) 출시	루닛	의료 영상 자료를 딥러닝을 통해 분석하여 병변을 알아내는 프로그램 개발
	애플	음성 인식 기반 통합 인터페이스를 사물인터넷과 스마트카에 활용함	LG CNS	제조 공정 진행 상황과 각종 설비 시설을 모니터링하고 컨트롤하는 ezMES 솔루션 개발
	페이스북	사용자 공유하는 콘텐츠의 의미 이해에 중점을 두고 안면 인식도가 92%인 딥 페이스, 인공지능 분석 서버, GPU에 특화된 오픈소스 딥러닝 모듈(Torch)을 개발함	SK C&C	중국 충칭 공장에 '스마트 팩토리 플랫폼'을 공급 - 시뮬레이션 기반 프린터 생산라인 설계 - 생산라인 및 장비의 IoT화 - 생산라인 스마트 제어 및 로봇 기반 물류 자동화 - 빅데이터 기반 생산 공정 분석 · 진단 - SCM(공급망 관리) · ERP시스템 연계 시스템 등

자료: 소프트웨어정책연구소(테크노베이션파트너스 추가 보완)

보도에 따르면 1995년부터 2016년까지 출원된 4차 산업혁명 19대 핵심 기술 관련 특허 현황에서 판단 기술, 서비스용 로봇, 인공지능, 뇌과학, 인지 기술, 제어 기술, 웨어러블 기술의 특허 점유율이 높은 것으로 나타난다.

국가별로 보면 미국이 39.6%로 가장 높고 일본(24.7%), 한국(18.0%), 독일(5.0%) 순으로 핵심 특허를 많이 출원한 상태이다.

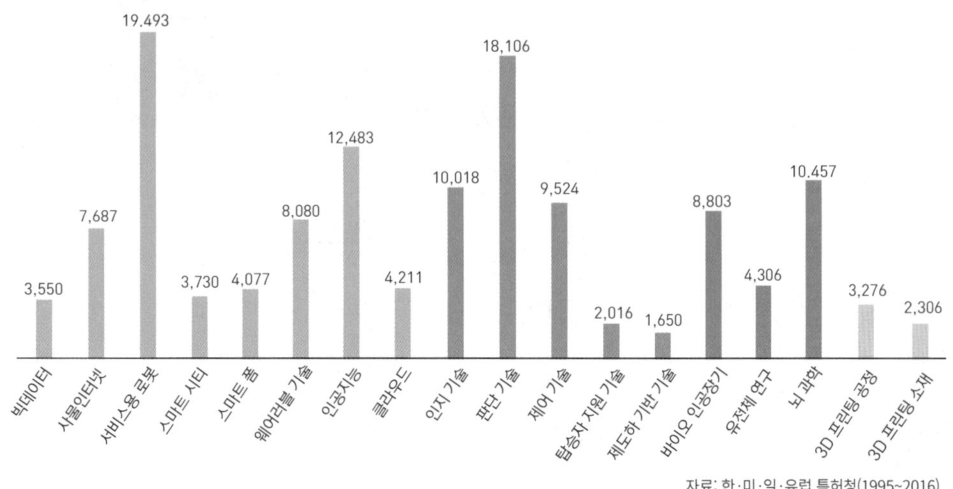

[그림 1-2] 4차 산업혁명 19대 핵심 기술 특허 출원 현황

국내 기업 중 4차 산업혁명 핵심 기술에 삼성전자, 현대자동차 및 LG전자가 적극적으로 대응하고 있는 것으로 나타난다.

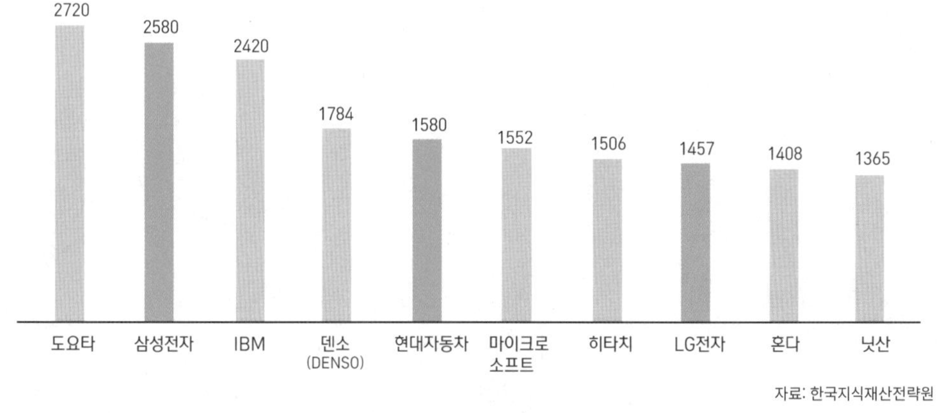

[그림 1-3] 기업별 4차 산업혁명 핵심 기술 특허 출원 현황

미국에서는 인공지능 스타트업에 대한 벤처 캐피털의 투자가 2010년부터 꾸준히 증가해 2014년에는 3억 달러로 투자 규모가 커졌다.

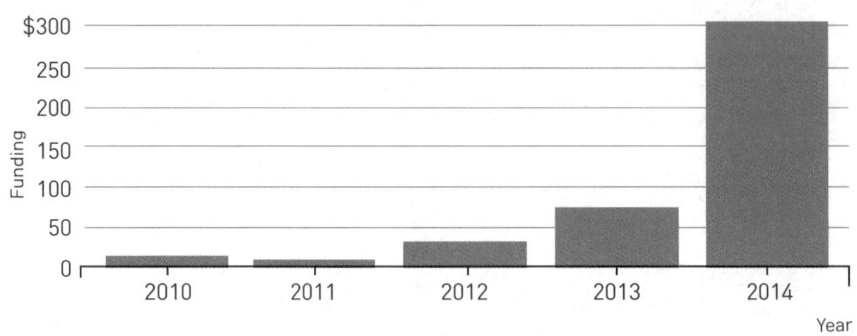

[그림 1-4] 인공지능 스타트업에 대한 벤처 캐피털의 투자 현황

PART
02

IoT 기술

PART 02 IoT 기술

2.1 IoT란

'인터넷'은 수백 개의 컴퓨터(스마트폰, 태블릿) 간에 전자통신이 가능한 글로벌 인터넷이다. 컴퓨터를 연결할 때 인터넷은 컴퓨터 사용자를 함께 연결한다. 우리는 정보와 메시지를 공유하기 위해 글로벌 네트워크를 사용하는 것이다. 즉 오늘날의 인터넷은 기기 간의 네트워크이기도 하지만 사람들 간의 네트워크이기도 하다. 여기서 더 나아가 사물인터넷은 컴퓨터, 스마트폰, 태블릿을 연결할 뿐만 아니라 다른 수많은 사물을 연결한다. 즉 사물인터넷이란 틀 안에서 모든 것을 연결할 수 있다. 일단 연결되면, 모든 것은 다양한 목적으로 다른 사물과 소통할 수 있다.

기술적인 측면에서, 사물인터넷이란 구분 가능한 내장 컴퓨터 기기와의 상호 호환을 의미한다. 즉 어떤 기기와도 연결이 가능하다면(컴퓨터뿐만 아니라 센서와 모니터 등도 포함된다) 이미 존재하는 인터넷과도 연결할 수 있다. 사물인터넷은 인터넷뿐만 아니라 무선 인터넷을 포함한 다른 네트워크 기술도 충분히 활용할 수 있다.

오늘날 인터넷은 사람끼리 무언가를 주고받는 소통의 인터넷이다. 우리는 인터넷에 접속해 정보 검색 및 읽기, 이메일 전송, 메시지 확인, 음악, 비디오 혹은 인터넷상에 있는 무엇이든 다운로드할 수 있다. 사용자는 기기를 연결해 서비스를 사용한다.

사물인터넷은 소통의 인터넷과 매우 대조적이다. 사람이 데이터에 접근하는 것이 아닌 사물이 데이터에 접근하거나 다른 기기들과 소통한다. 앞으로 우리는 현재 사용하고 있는 인터넷을 계속해서 사용할 것이지만, 미래의 인터넷은 사람이 아닌 기기·사물지능통신(Machine-to-Machine, M2M) 또한 주요 통로가 될 것이다.

우리가 사물을 연결할 때 다른 사물에서는 어떤 일이 발생할까? 사물이 TV, 냉장고, 심

장박동 모니터, 자동차와 연결되면 각 사물 안에 있는 센서는 무엇을 하고 있는지, 어떻게 환경과 상호 작용하는지 등에 대한 엄청난 데이터를 축정한다. 모든 데이터는 인터넷을 통해서 다른 사물로 전송되거나 다른 기기가 추가적인 작업을 진행할 때 사용될 수 있다. 즉 사용자의 간섭이 최소화된 스마트 기기 간의 상호 작용을 통해 점점 더 자동화되고 더 지능화된 서비스를 제공하는 것이 사물인터넷이다.

2.2 구성 기술

IoT의 3대 주요 기술은 센싱 기술, 유무선 통신 및 네트워크 인프라 기술, IoT 서비스 인터페이스 기술이다.

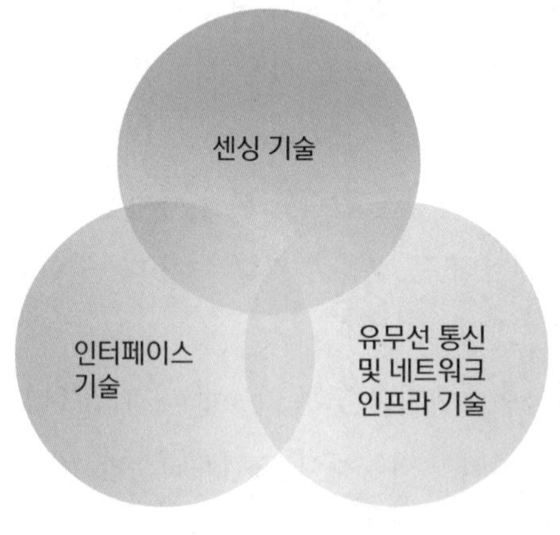

[그림 2-1] IoT 구성 기술

2.2.1 센싱 기술

전통적인 온도, 습도, 열, 가스, 조도, 초음파 센서 등에서부터 원격 감지, SAR, 레이더, 위치, 모션, 영상 센서 등 유형 사물과 주위 환경으로부터 정보를 얻을 수 있는 물리적 센서를 포함한다.

물리적인 센서는 응용 특성을 좋게 하기 위해 표준화된 인터페이스와 정보 처리 능력을 내장한 스마트 센서로 발전하고 있으며, 또한, 이미 센싱한 데이터로부터 특정 정보를 추출하는 가상 센싱 기능도 포함되며 가상 센싱 기술은 실제 IoT 서비스 인터페이스에 구현

한다. 기존의 독립적이고 개별적인 센서보다 한 차원 높은 다중(다분야) 센서 기술을 사용하기 때문에 한층 더 지능적이고 고차원적인 정보를 추출할 수 있다.

2.2.2 유무선 통신 및 네트워크 인프라 기술

IoT의 유무선 통신 및 네트워크 장치로는 기존의 WPAN(Wireless Personal Area Networks), WiFi, 3G/4G/LTE, Bluetooth, Ethernet, BcN, 위성통신, Microware, 시리얼 통신, PLC 등 인간과 사물, 서비스를 연결시킬 수 있는 모든 유 · 무선 네트워크를 의미한다.

※ 시리얼 통신: 일반적으로 컴퓨터 기기를 접속하는 방법의 하나로, 접속하는 선의 수를 줄이고, 원거리까지 신호를 보낼 수 있도록 한 통신 방식이다

2.2.3 IoT 서비스 인터페이스 기술

IoT 서비스 인터페이스는 IoT의 주요 3대 구성 요소(인간 · 사물 · 서비스)를 특정 기능을 수행하는 응용 서비스와 연동하는 역할을 한다.

IoT 서비스 인터페이스는 네트워크 인터페이스의 개념이 아니라, 정보를 센싱, 가공·추출·처리, 저장, 판단, 상황 인식, 인지, 보안·프라이버시 보호, 인증·인가, 디스커버리, 객체 정형화, 온 톨러지 기반의 시맨틱, 오픈 센서 API, 가상화, 위치 확인, 프로세스 관리, 오픈 플랫폼 기술, 미들웨어 기술, 데이터 마이닝 기술, 웹 서비스 기술, 소셜 네트워크 등, 서비스 제공을 위해 인터페이스(저장, 처리, 변환 등) 역할을 수행한다.

2.3 국가별 정책 동향

2.3.1 유럽

EU는 2009년에 사물인터넷 연구 개발과 클러스터 구축 등의 사업에 769억 원을 투자하는 '사물인터넷 액션 플랜'을 발표하였으며, 2005년부터 유럽의 선박에 VMS(Vessel Monitoring System) 장착을 의무화하고, 2015년 차량 e-call 서비스의 의무화를 목표로 추

진하고 있다.

또한, 2009년부터 제7차 연구 개발 7대 과제 중 '미래 네트워크 기반'을 선정하여 수십억의 인구와 수조에 달하는 사물과 연결할 것에 대비한 인프라 구축을 목표로 하는 액션 플랜을 수립하고, 연구 개발 및 시범 서비스를 추진하고 있다. 아울러 유럽의 스웨덴, 핀란드, 이탈리아 등의 국가를 중심으로 모든 가정의 전력 사용 검침을 위한 스마트 미터 설치를 진행하고 있다.

2.3.2 미국

2009년에 M2M 기반의 스마트 그리드 사업 등에 3,862억 원을 투자하는 'Grid 2030 계획'을 에너지국(DOE, Department of Energy)에서 수립하였다. 2007년에는 국방부의 운반 설비에 M2M 기술을 활용한 추적 시스템을 도입하였고, 뉴욕시에서는 택시의 텔레매틱스 서비스 도입을 의무화하였다.

연방통신위원회(FCC, Federal Communications Commission)는 사물인터넷 관련 규정을 제정하기 위한 공청회를 2013년 3월에 개최하는 등 산업계의 의견을 최대한 수렴하고 있으며, 국가정보위원회(NIC, National Intelligence Council)는 사물인터넷을 2025년까지 국가 경쟁력에 영향을 미칠 '혁신적인 파괴적 기술(Disruptive Civil Technology)' 중 하나로 선정하였다.

2.3.3 중국

중국 국무원은 '중장기 과학기술 발전 계획(2006~2020)'에 스마트 그리드 등 사물인터넷 분야에 6조 원을 투자한다고 발표하였으며, 2010년에는 상하이 인근에 산업단지와 연구센터를 구축하였다. 이와 함께 8,611억 원 규모의 사물네트워크 산업기금을 별도로 조성했으며, 장수성은 125개 프로젝트에 1조 6,000억 원 규모의 투자를 유치하였다.

중국의 공업정보화부는 국가 차원의 프로젝트 및 지원 정책을 추진하기 위한 전략으로 '사물망 12-5 발전규획'을 수립(2011.11.28)하여 공개하였으며, 주요 내용은 국가 핵심 기술 개발 및 산업화, 표준 연구 및 제정 등이다. 세부 목표에는 센서 · 전송 · 처리 · 응용 등 기술 영역에서 500개 이상의 주요 연구 성과 취득, 표준 200개 이상 제정, 10개 산업 특구 및 100개 이상 핵심 기업 육성 등이 포함되어 있다.

2.3.4 일본

2009년에 센서 네트워크 기반의 M2M 기술과 서비스를 개발하는 계획이 'i-Japan 2015 전략'에 포함되었고, 자원에너지청에서는 2010년 4월에 5,000가구를 대상으로 하는 스마트 그리드 실증 시험 사업에 약 1,380억 원을 투자하였다. 또한, 2011년에는 사물, 기기 등의 생활 밀착형 기술 개발을 위해 3조 8,559억 원을 지원하였다.

최근 ICT 융합에 따른 새로운 산업의 창출을 위해 '디지털화, 네트워크화에 의한 IoC(Internet of Computer)에서 IoT(Internet of Thing)로'라는 방향을 잡고 '6대 전략 중점 분야 육성'과 '기반 육성 과제'를 제시하였으며, 내용에는 전략 중점 분야 육성을 위한 정책 전개 방안과 기반 육성 과제의 액션 플랜을 포함하고 있다.

2.3.5 국내

방송통신위원회는 2009년 10월에 사물인터넷 분야의 국가 경쟁력 강화 및 서비스 촉진을 위한 '사물지능통신 기반 구축 기본 계획'을 발표하였으며, 본 계획을 통해 공공 분야 선도 서비스 모델 발굴, 사물지능통신 핵심 기술 개발, 국내외 표준화 추진, 법제도 개선 등을 추진하였다. 2010년 5월에는 방송통신 10대 미래 서비스에 사물지능통신을 주요 분야로 선정하였으며, 2011년 10월에는 7대 스마트 신산업 육성 전략에 사물인터넷을 포함하여 정책을 추진하였다.

또한, 중소벤처 지원을 통한 상생 협력 생태계 조성과 기업의 자생력 강화를 위한 기술 개발 및 시험 환경을 지원하는 사물인터넷 지원센터를 2011년부터 운영하고 있다. 그리고 M2M 표준화에도 적극 나서고 있는데, oneM2M, 3GPP, ITU 등을 통한 국제 표준화 활동을 위해 전문 연구기관, 포럼, 국내 표준 개발기관을 통하여 지원하고 있으며, 국내 기술의 글로벌 경쟁력 제고를 위해 중장기적인 정책 지원도 고려하고 있다.

미래창조과학부는 사물인터넷을 인터넷 신산업 분야의 주요 기술로 선정하여 중장기 발전 계획을 담은 '인터넷 신산업 육성 방안'을 발표하였다(2013.6.5). 사물인터넷은 인터넷 이용 창조 기업 육성, 인터넷 신산업 시장 확대 및 창의적인 일자리 창출을 위한 창조 엔진으로 시장 창출을 위한 선도 사업, 기업의 기술 경쟁력 강화 및 국외 진출 지원, R&D 등 기반 조성 등을 위한 정책 과제를 추진할 예정이다.

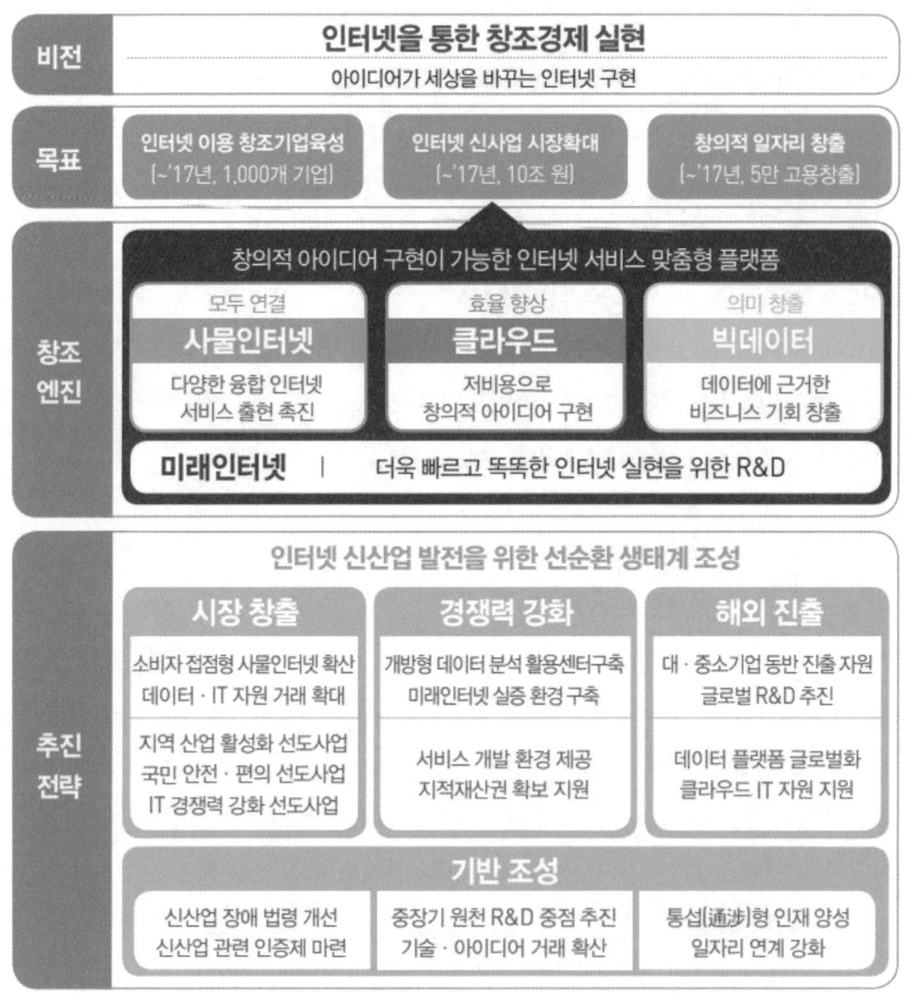

[그림 2-2] 인터넷 신산업 육성 방안의 목표 및 전략

2.4 시장 규모와 산업 동향

2.4.1 국내외 시장 전망

사물인터넷의 세계 시장은 2011년 26.82조 원에서 2015년 47.07조 원으로, 국내 시장은 2011년 4,147억 원에서 2015년 1조 3,474억 원으로 성장할 전망이다.

[표 2-1] 세계 및 국내 사물인터넷 시장[IDATE(2011), KAIT(2012)]

구분	2011년	2012년	2013년	2014년	2015년	CAGR
세계 시장 (조 원)	26.82	29.18	35.61	42.49	47.07	11.9%
국내 시장 (억 원)	4,147	5,674	7,201	10,338	13,474	26.6%

시장조사 기관인 MaketsandMarkets('12)에 따르면, 사물인터넷은 다양한 산업과의 융 · 복합을 통하여 공공 안전, 리테일 등을 중심으로 서비스 시장이 확장되고 있으며, 기존의 헬스케어, 스마트 에너지 관련 분야뿐만 아니라 지능형 교통 서비스, 사회 인프라(건물, 교량 등) 원격 관리 서비스 등을 중심으로 확대될 것으로 전망된다.

[표 2-2] 사물인터넷 버티컬 서비스 시장 규모[MarketsandMarkets(2012)], 단위: 억 달러

type	2011	2012	2013	2014	2015	2016	2017	CAGR(5) (2012~2017)
Public Safety&Urban Security	7.9	13.8	21.6	28.7	34.9	41.8	48.7	28.7
Retail	8.8	15.3	3.4	32.0	38.9	46.5	54.2	28.8
Healthcare	4.0	6.9	10.6	14.0	16.7	19.5	22.4	26.6
Energe&Power	2.6	4.8	7.8	10.7	13.5	16.8	20.6	33.8
Transportation	2.0	3.9	6.7	9.8	12.9	16.6	20.5	39.5
Telecom&IT	5.3	9.2	14.3	18.9	22.6	26.5	30.3	27.0
Consumer & Residential	6.2	10.5	16.1	21.2	25.4	30.0	34.5	26.9
Industrial & Commercial Buildings	3.3	6.0	9.6	13.2	16.5	20.5	24.9	33.0
Maunfacturing	2.4	4.5	7.2	10.1	12.6	15.8	19.6	34.4
Others	1.5	2.9	4.8	6.8	8.9	11.3	14.2	37.6
Total	44.0	77.7	122.7	165.3	202.8	245.2	290.0	30.1

2.4.2 국내외 산업 동향

사물인터넷이 스마트폰, 스마트카, 스마트 시계 · 안경 등 지능화된 단말기 보급과 맞물려 새로운 차원의 미래 신시장 가치를 창출할 것으로 기대된다. 세계 이동통신 사업자협회에 따르면, 글로벌 커넥티드 단말 수는 2011년에 약 90억 대에서 2020년에는 약 240억 대로 증가하고, 시장 규모는 2011년 5,937억 달러에서 2020년에는 1조 9,860억 달러에 이를 것으로 전망된다.

IBM은 에너지, 교통, 금융 등의 다양한 분야에서 사물인터넷 기반의 지능화를 위한 기술 개발 및 사업을 추진 중이며, 영국의 Pachube는 전 세계에서 수집된 센싱 정보의 공유와 협업 환경을 제공하는 서비스 등 다양한 산업에 사물인터넷을 접목하여 서비스의 고급화를 통해 시장을 선도하고 있다.

국내의 경우엔 이동통신사 중심의 단순 결제 서비스(POS, Point of Sale), 보안 서비스 등 초기 단계의 서비스에서 헬스케어, 스마트 팜 등의 최신 서비스로 단계적으로 상용화되고 있다. 하지만 단말 벤더 및 플랫폼, 네트워크, 서비스 사업자가 상호 협력하여 혁신적인 새로운 서비스를 창출할 수 있는 환경은 아직 미흡하다.

SK텔레콤은 지난 9월 중소기업 동반 성장과 산업 활성화를 위해 자사가 개발한 개방형 M2M 플랫폼을 협력사에 무상으로 제공했다. 국외 진출을 원하는 협력사가 이 플랫폼을 통해 개발한 애플리케이션이나 단말기를 세계로 수출할 수 있도록 컨설팅 등 각종 지원도 아끼지 않는다. KT도 B2B에 머물렀던 M2M 시장 외연을 헬스케어 등 가입자당 평균 매출액(ARPU, Average Revenue Per User)이 높은 B2C로 확장하는 한편 플랫폼 호스팅 사업에도 진출할 계획이다. M2M 기반 플랫폼 구축을 마친 LG U+는 올해 커넥티드 카(connected car), 자판기 등 스마트 리테일(smart retail), 영상 서비스 등 3가지 분야에 대해 각각 응용 플랫폼을 구축할 계획이다.

2.4.3 추이

사물인터넷 시대는 흔히 '포스트 스마트폰' 시대라 불린다. 사물인터넷의 목표는 인간의 개입 없이 인터넷으로 연결된 사물들이 각자 알아서 커뮤니케이션하는 환경을 만드는 것이다. 그리고 사물인터넷의 핵심은 인간을 둘러싼 사물들이 서로 연결되면서 인간에게

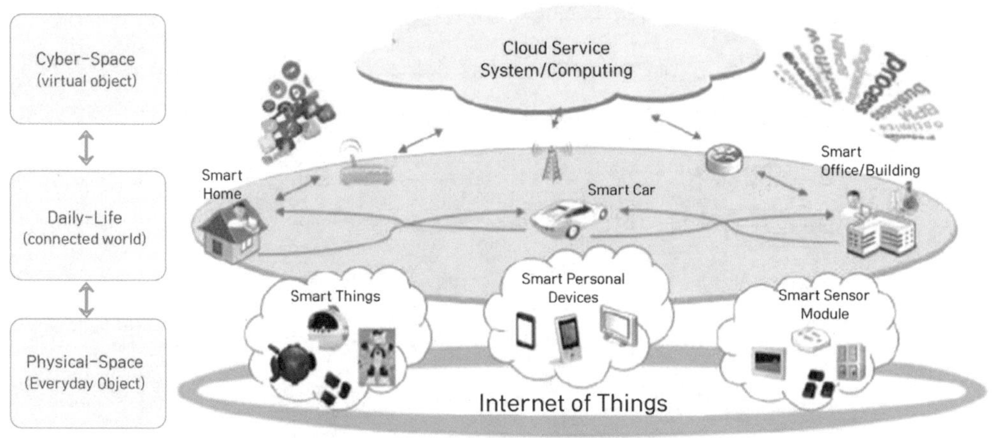

출처: 한국인터넷진흥원, IoT 제품 및 서비스 보안성 강화 방안 연구 (2015.9)

[그림 2-3] IoT 기술 기반 초연결 사회

새로운 편의 혹은 가치를 부여하는 것이다. 스마트폰이 인간을 중심으로 하여 언제 어디서든 연결될 수 있는 환경을 만들어 주었다면 사물인터넷은 인간 주변의 모든 사물을 연결하고 인간과 상호 소통할 수 있도록 만들어 줄 것이다.

사물인터넷 기술은 PC, 스마트폰 등 컴퓨팅 단말을 넘어 사실상 모든 종류의 사물에 센서 네트워크의 작은 장치를 포함하여 생활 속 기기들이 실시간으로 인터넷에 연결된 환경으로 스마트 헬스케어 시스템과 산업 설비의 제어 시스템과 같은 스마트 서비스를 활성화시키고 있다.

사물인터넷은 개별 단말에 통신 기능을 접목해 원격 감시 및 시스템 자동화 등을 실현하는 사물 간 통신(Machine-to-Machine, M2M)과 유사한 개념으로 M2M이 주로 대규모 인프라 설비나 산업 시설 등 대형 시스템을 대상으로 통신 기술을 접목해 설비 운영 효율을 높이는 솔루션 제공에 초점을 맞췄다면, 사물인터넷은 모바일, 클라우드, 빅데이터 등 다른 IT 기술과의 연계를 통해 한 단계 진보된 사업 모델을 제시함으로써 일반 소비자를 대상으로 하는 다양한 단말 및 서비스의 혁신을 창출하는 기회 요인으로 작용하고 있다. 스마트폰과 태블릿, 웨어러블 등 개인용 컴퓨팅 단말의 보급 확대로 개인을 대상으로 하는 사물인터넷 서비스의 대중화는 더욱 앞당겨질 것으로 기대된다. 이와 더불어 사물인터넷은 가전, 의료, 교통 등 모든 분야에 적용될 것으로 전망됨에 따라 대부분의 기기에 정보 획득 및 네트워크 연결 기능이 탑재되고 이를 바탕으로 스마트홈, 스마트 가전, 스마트카, 스마트 헬스케어, 스마트 시티, 스마트 물류, 스마트 그리드 등 다양한 분야에서 새로운 제품과 서비스가 출현될 것이다.

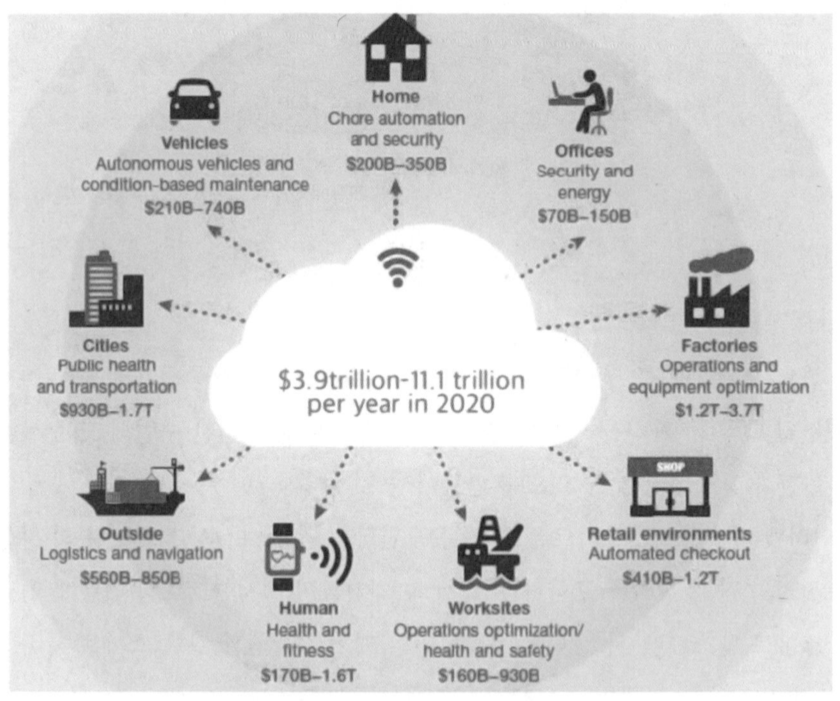

출처: Mckinsey Global Institute(2015.6)

[그림 2-4] 2025년까지 전 세계 사물인터넷 파급 효과 전망

사물인터넷 활용에 따른 전 세계 부가가치 규모는 시장 기관에 따라 2020년까지 1.9조 달러에서 19조 달러에 달할 것으로 전망되었다. 또한, Mckinsey(2015.6.)는 2025년까지 공장, 도시, 건강, 소매, 작업장, 물류, 교통, 가정, 사무 공간 등 사물인터넷을 활용하는 9개의 주요 환경에서 사물인터넷 활용 수준에 따라 연간 최소 3.9조 달러에서 최대 11.1조 달러의 경제적 파급 효과가 발생할 것으로 전망하였다.

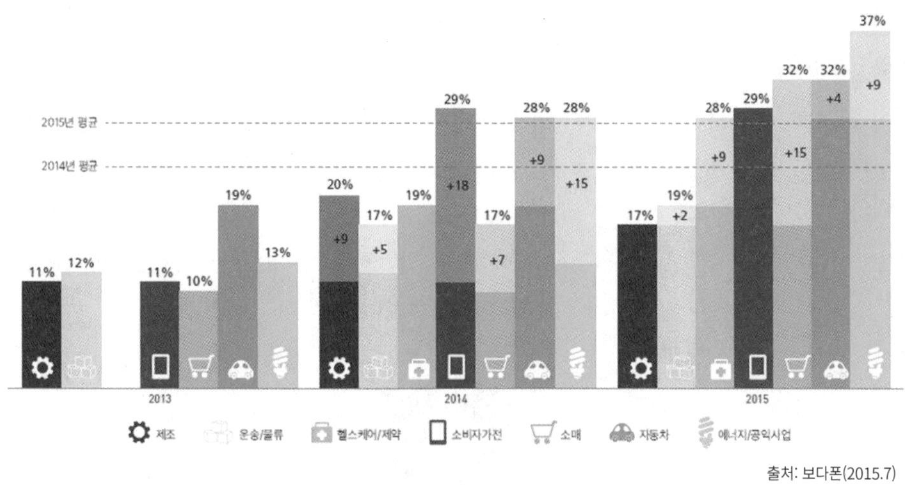

[그림 2-5] 전 세계 주요국 산업별 사물인터넷 도입률 추이

하지만 이러한 낙관적인 시장 전망과는 달리 전 세계 사물인터넷 도입은 미미한 수준인 것으로 나타났다. 전 세계 16개국, 7개 산업에 종사하는 650명이 임직원을 대상으로 글로벌 통신회사 Vodafone이 실시한 온라인 설문조사 결과에 따르면 2015년 현재 조사 대상 기업의 27%가 M2M을 도입한 것으로 나타났다.

이는 2013년 12%, 2014년 22%에서 점진적으로 증가한 것으로 나타나지만 여전히 기업의 사물인터넷 도입은 초기 수준임을 보여준다. 산업별로는 제조, 운송 · 물류, 헬스케어 · 제약, 소비자 가전, 소매, 자동차, 에너지 · 공공 분야 등 7개 산업 분야 중 에너지 · 공공 분야, 자동차, 소매 순으로 높게 나타난 반면, 가장 낮은 도입률을 보인 제조 분야는 에너지 · 공공 분야 도입률의 절반가량인 17%에 그쳤다.

2.5 사례

2.5.1 IBM의 Smarter Planet

현재 약 20억 명이 인터넷을 사용하는 것으로 추정되는데, IBM은 2020년 500억 사물이 인터넷에 연결되는 사물인터넷(IoT) 시대를 전망했다. IBM은 '똑똑한 지구(Smarter Planet)'라는 새로운 혁신 프로젝트를 전개하고 있다. 모든 자연과 사람을 연결해 기능화 · 지능화 에너지 · 교통 · 금융 · 유통 · 제조 · 공공 안전 · 도시 관리 등 다양한 분야에 똑똑한 시스템을 만들자는 것이 핵심이다. 세상의 수많은 디바이스와 소프트웨어가 네트워킹이 가능하도록 하는 IT 기술의 확장을 통해 관련 사물인터넷(IoT) 전 분야를 IBM의 시장 영역으로 만들기 위한 전략을 가지고 있다.

Smarter Planet

Welcome to the Decade of Smart

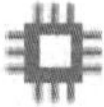

Instrumented +
We have the ability to measure, sense and see the exact condition of everything

Interconnected +
People, systems and objects can communicate and interact with each other in entirely new ways.

Intelligent
We can respond to changes quickly and accuratrly, and get better results by predicting and optimizing for future events.

[그림 2-6] IBM의 Smarter Planet 개념

2.5.2 Cisco의 Smart + Connected Communities

Cisco도 'Smart+Connected Communities'라는 혁신 프로젝트를 추진하고 있다. 네트워크로 연결 · 통합된 커뮤니티와 도시 활동을 통해 지속적 경제 성장과 자원 관리, 운영 효율을 통한 환경 보전을 가능하게 하고 삶의 질 향상을 위한 솔루션으로 제시하고 있다.

'Community+Connect' 솔루션을 통해 집, 학교, 교통 분야에서 삶의 질을 향상시킬 수 있는 정보와 서비스를 시민에게 제공한다. 'Community+Exchange' 솔루션을 통해서는 정부 및 지역 파트너들이 해당 시민들에게 자유롭게 거주하며 일하고 삶을 즐길 수 있는 안전한 커뮤니티를 제공할 수 있도록 한다는 것이 시스코의 사물인터넷(IoT) 비전이다.

2.5.3 Pachube의 Interactive Environments 서비스

영국의 Pachube는 인터렉티브 환경에서 센서에서 들어오는 실시간 데이터를 관리할 목적으로 2008년에 처음 설립된 회사다. 사람, 사물, 애플리케이션을 사물인터넷(IoT)에 연결하기 위한 목적으로 개발됐다. 수집한 데이터를 실시간으로 Pachube 서버에 전송하고 수집한 데이터를 누구나 이용할 수 있도록 오픈 API를 제공함으로써 웹 기반 서비스를 통해 전 세계의 데이터를 실시간으로 관리할 수 있다. 등록한 사람은 전 세계로부터 수집한 정보를 공유하고 협업할 수 있는 환경을 제공한다. 현재 100개 이상의 국가로부터 수백만 개의 데이터 포인트가 등록되어 있고 이곳으로부터 측정한 방사능량, 에너지 소비 및 비용, 기후 관련 정보가 공공 안전, 농업, 서비스, 빌딩 자동화 등에 이용되고 있다.

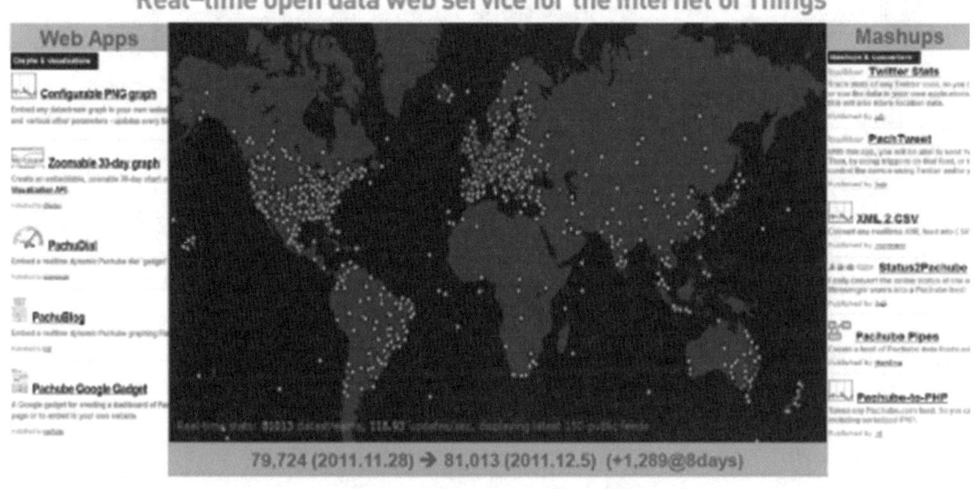

[그림 2-7] Pachube의 IoT Web 서비스

2.5.4 EVERYTHING의 Web of Thing 서비스

EVERYTHING은 기존 제품을 웹으로 연결해 보다 스마트하게 만들기 위한 'WoT(Web of Things)'기술을 개발하는 회사이며, 스마트폰과 각 제품을 나타내는 고유한 'Intelligent Identity'를 이용해 제품 생산자와 소비자, 파트너를 직접 웹상으로 연결시켜주는 서비스를 제공한다.

EVERYTHING의 엔진 기술을 통해 어떤 물리적 제품이든 개인화된 디지털 서비스를 위한 채널 및 일대일 통신을 가능하게 한다. 이를 통해 제품 생산자가 소비자에게 가까이 다가갈 수 있고 제품에 대한 생산, 판매 및 사용에 관련된 실시간 정보를 얻을 수 있다.

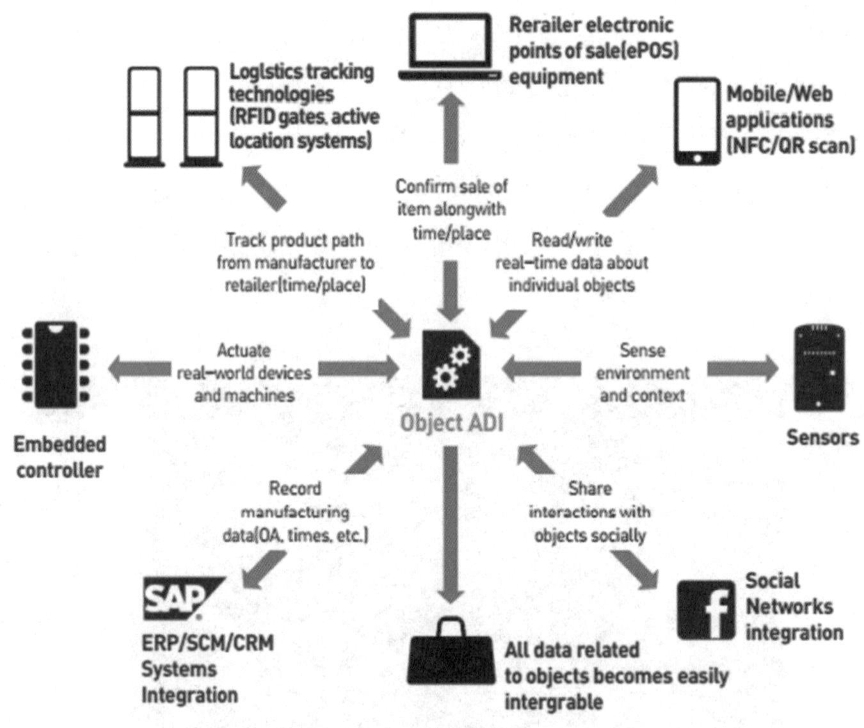

[그림 2-8] Everything의 IoT Mashup 서비스

2.5.5 SKT의 스마트 팜 서비스

SK텔레콤은 제주도 서귀포와 경북 성주 지역에 비닐하우스 내부의 온도와 습도, 급수와 배수, 사료 공급 등까지 원격 제어 지능형 비닐하우스 관리 시스템인 스마트 팜 서비스를 제공하고 있다.

SK텔레콤이 개발한 지능형 비닐하우스 관리 시스템인 스마트 팜을 이용해 온도와 습도 등을 체크하고 있다. 스마트 팜에서는 스마트폰을 이용해 비닐하우스 내부의 온도와 습도, 급수와 배수, 사료 공급 등까지 원격 제어할 수 있다.

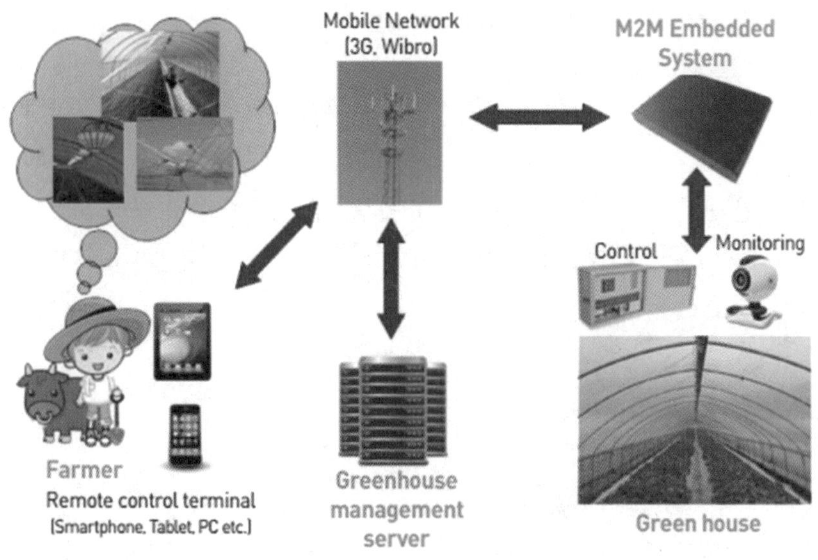

[그림 2-9] SKT의 스마트 팜 서비스

2.5.6 KT의 스마트 홈 서비스

KT는 스마트폰을 활용한 댁내 방범, 전력 제어, 검침 등의 다양한 사물인터넷 서비스를 제공하고 있다. 원격지에서 거주자가 스마트폰으로 KT의 사물인터넷 플랫폼을 통해 실시간으로 댁내 환경을 모니터링할 수 있으며, 간단한 스마트폰 작동을 통해 전등, 출입문 등을 제어할 수 있다. 또한, 실시간 침입 및 화재 경보를 수신할 수 있으므로 스마트 원격 관제 서비스가 가능하다.

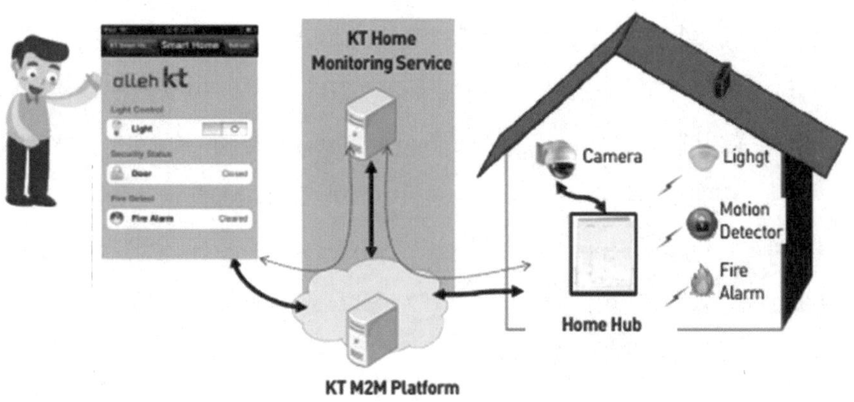

[그림 2-10] KT의 Smart Home 서비스

2.5.7 LG U+의 지능형 차량 관제 서비스

LG U+는 DTG(Digital Tacho Graph)와 사물인터넷 플랫폼과의 연동을 통하여 실시간 차량 관제 서비스를 화물차량, 버스, 택시 등을 대상으로 제공하고 있다. 또한, 2012 여수 세계박람회 기간 동안 LTE 기반의 사물인터넷 솔루션을 적용한 차량 관제 시스템을 운영하여 승무원, 승객 관리, 운행 상태와 속도, 이동 거리 등의 차량 정보를 실시간으로 교통 관제 센터에 전송하는 서비스를 제공하였다.

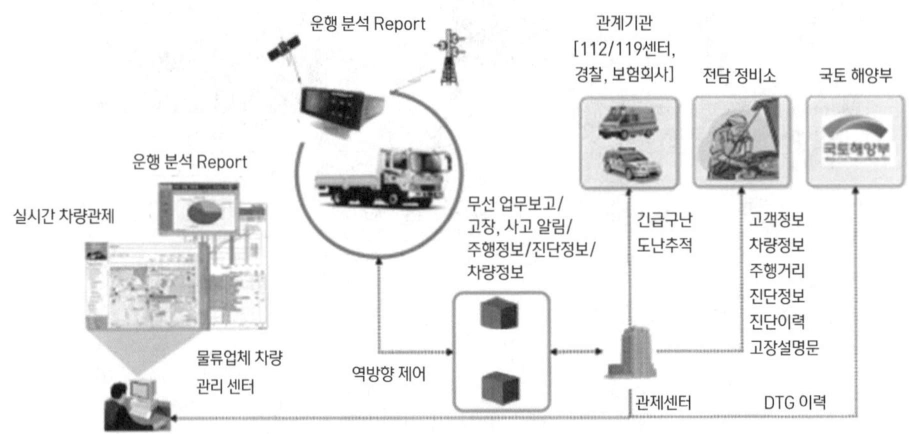

[그림 2-11] LG U+의 지능형 차량 관제 서비스

2.5.8 Nuritelcom의 스마트 그리드 서비스

국내 사물인터넷 중소기업인 누리텔레콤은 근거리 무선통신 기술인 ZigBee 기반의 Mesh 무선통신망을 이용하여 스웨덴 예테보리시에 26만 5,000가구를 대상으로 스마트 시티를 구축하였으며, 원격 검침 서비스를 제공하고 있다. 또한, 2015년까지 가나의 가정 등 10만 저압 수용가에 AMI(Advanced Metering Infrastructure)를 공급한다. 1차로 2013년 7월까지 가나 프람프람과 아킴 오다시 지역 주택 1만 호에 AMI를 구축한다.

Mesh 네트워크와 GPRS(General Packet Radio Service) 무선 통신 기반 원격 검침 모뎀이 탑재된 스마트 계량기, 데이터 수집 장치(DCU, Data Concentration Unit), 플랫폼 등 누리텔레콤의 토털 AMI 솔루션이 공급된다.

PART 03

개발 환경 구축

PART 03 개발 환경 구축

3.1 펌웨어 환경 설정

IoT 펌웨어는 아두이노 보드를 사용한다. 펌웨어 개발을 위해서는 아두이노 환경을 구축해야 하며, 소프트웨어는 아두이노 스케치를 사용한다.

3.1.1 아두이노 설치

① 아두이노 소프트웨어 툴은 아두이노 홈페이지에서 무료로 다운로드 가능하다.

[그림 3-1] 아두이노 홈페이지

② Software를 선택한다.

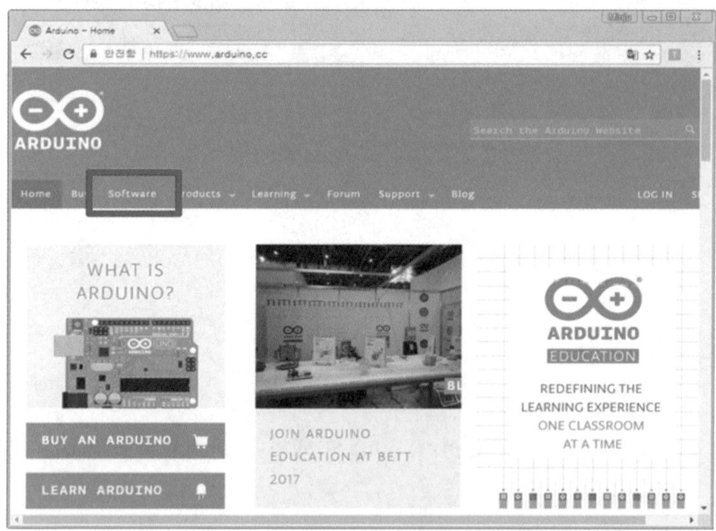

[그림 3-2] Download 선택

③ 'Windows installer'를 선택한다.

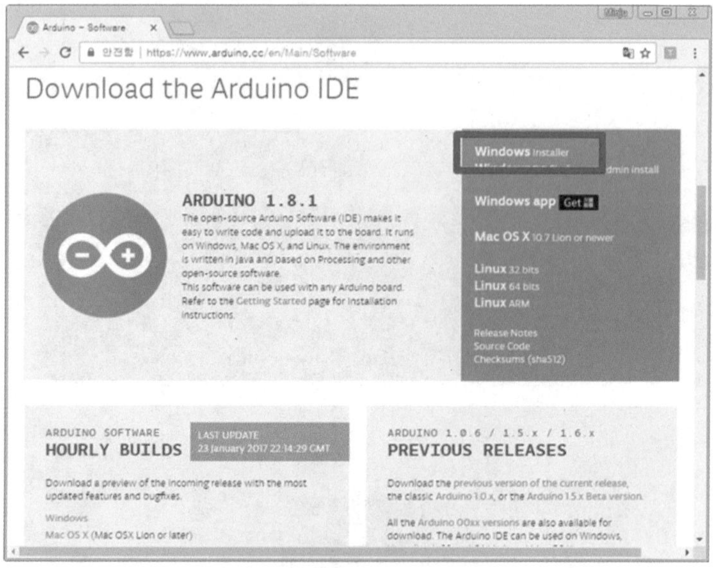

[그림 3-3] Windows Installer 선택

④ 'JUST DOWNLOAD'를 선택한다.

[그림 3-4] 다운로드

⑤ 다운로드 받은 파일을 실행한다.

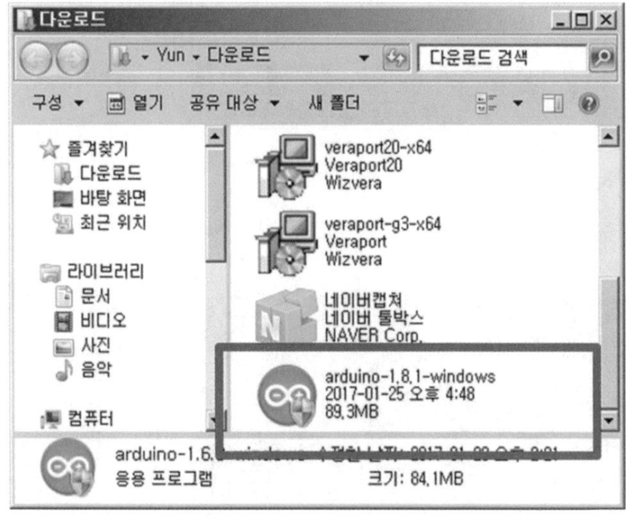

[그림 3-5] 다운로드 받은 파일 시행

⑥ 라이센스 동의에서 'I Agree'를 선택한다.

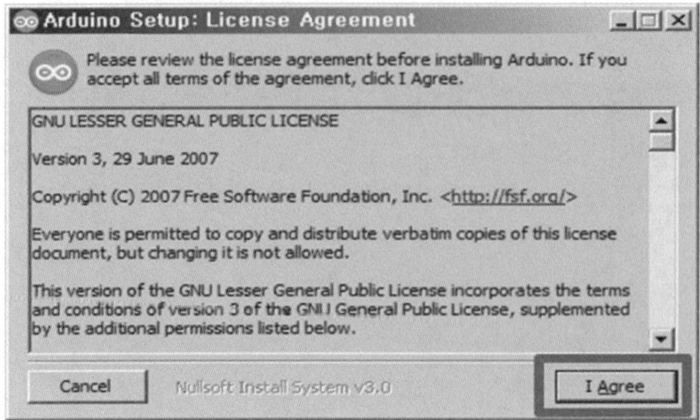

[그림 3-6] 라이센스 동의

⑦ 설치 옵션에서 디폴트값으로 두고 'Next'를 선택한다.

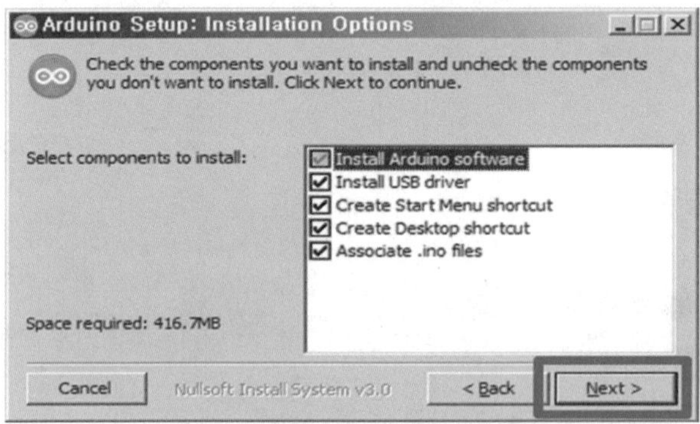

[그림 3-7] 설치 옵션

⑧ 설치 위치를 설정한다. 디폴트값으로 두고 'Install'을 선택한다.

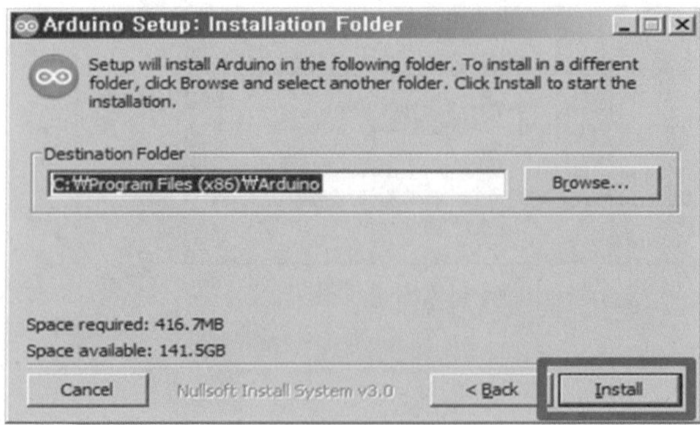

[그림 3-8] 설치 폴더

⑨ 설치가 진행된다.

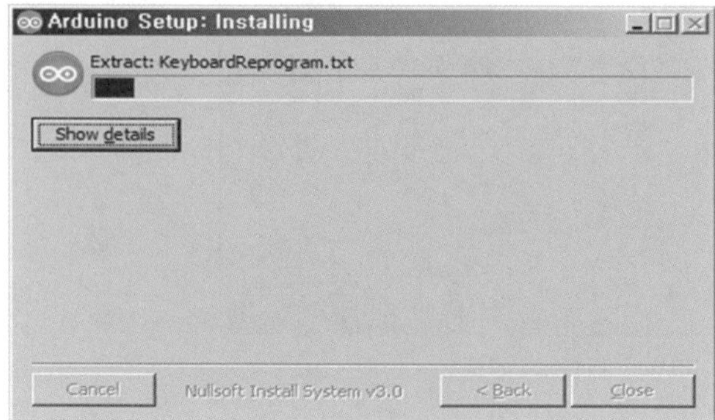

[그림 3-9] 설치 진행

⑩ 아두이노 USB 드라이버 설치를 함께 진행하기 위해 '설치'를 선택한다.

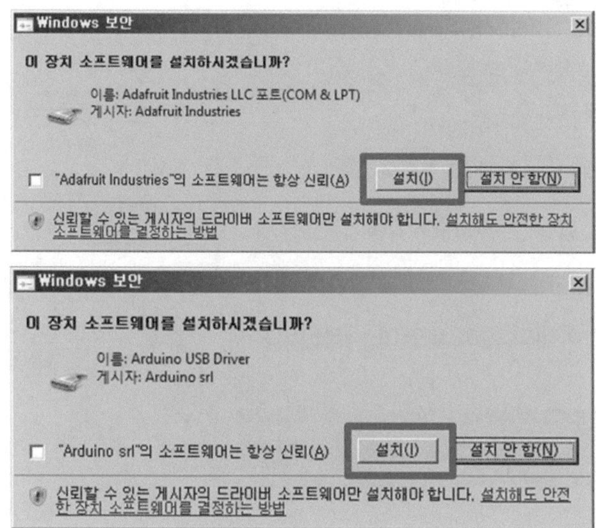

[그림 3-10] USB 드라이버 설치

⑪ 설치가 완료되면 'Close'를 선택한다.

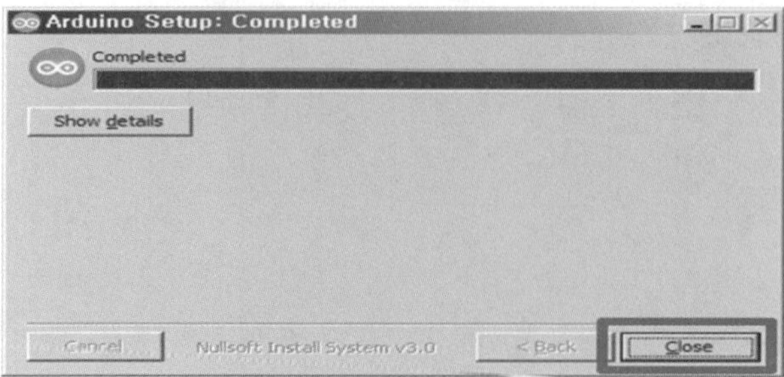

[그림 3-11] 설치 완료

⑫ Arduino를 실행한다.

[그림 3-12] Arduino 실행

⑬ Arduino를 실행하면 아래와 같이 화면이 나타난다.

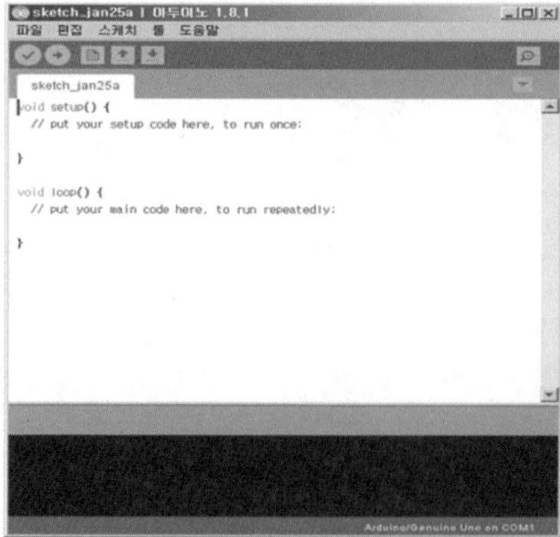

[그림 3-13] 아두이노 프로그램 실행

3.1.2 장비 연결 방법

Arduino는 기본적으로 다양한 파생 제품이 존재하여 사용되는 IC에 따라 핀의 위치가 달라질 수 있다. 그렇기 때문에 Arduino IDE에서는 프로그램을 위해 타겟 보드를 지정해 주어야 한다.

① 본 교재에서 사용하는 Arduino Uno를 타겟 보드로 지정하는 방법은 상단 메뉴 바에서 '도구→보드'로 들어가면 다양한 Arduino 보드가 나오는데, 그중에서 "Arduino/Genuino Uno"라는 항목을 체크하면 된다.

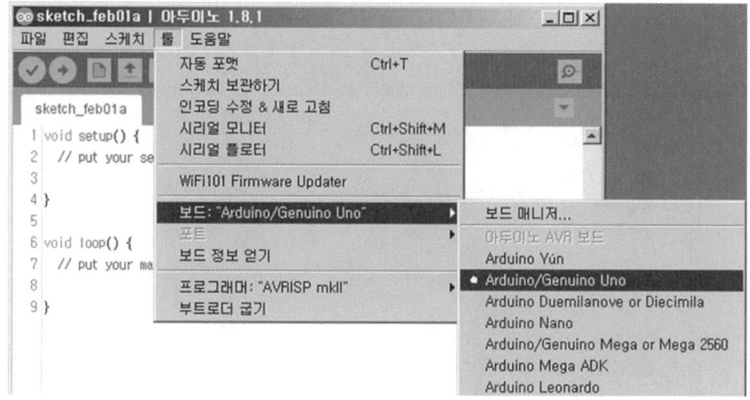

[그림 3-14] 보드 선택

② 프로그램 다운로드를 위한 포트를 잡아 주어야 한다. 상단 메뉴 바에서 '도구→시리얼 포트'로 들어가면 COM 포트들이 뜨는데, 앞서 장치 관리자에서 확인한 포트 번호를 선택해 주면 된다. 만약, COM 포트가 목록에 없다면 Arduino Uno의 연결을 다시 확인해야 한다.

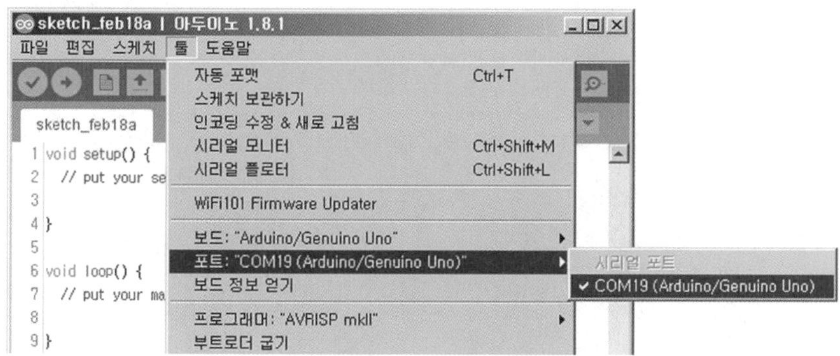

[그림 3-15] 시리얼 포트 선택

3.2 펌웨어 개발을 위한 자료

실습을 위해서 관련된 라이브러리들을 아두이노 설치 폴더의 ‘libraries’ 폴더에 복사해 두어야 실습이 가능하다.

> 64bit : C드라이브 > Program Files (x86) > Arduino > libraies
> 32bit : C드라이브 > Program Files > Arduino > libraies

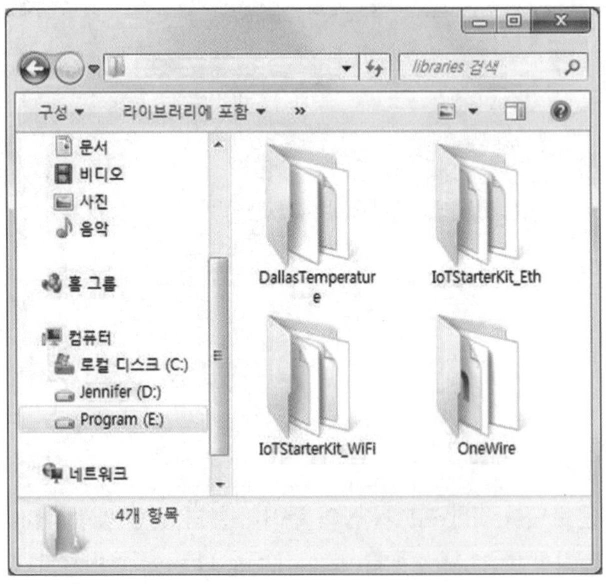

1

Starter Kit와 아두이노

SECTION 1

PART 04

아두이노를 이용한 LED 모듈 제어

PART 04 아두이노를 이용한 LED 모듈 제어

실습 목표

- ▶ LED 모듈의 구조와 동작 원리를 이해한다.
- ▶ 아두이노를 이용하여 LED 모듈을 제어한다.

4.1 하드웨어 구성 확인하기

4.1.1 기초 이론

(1) LED

LED란 '발광 다이오드'로 일컬어지는 반도체로, 'Light Emitting Diode'의 이니셜을 조합한 것이다. 1993년에 질화갈륨을 베이스로 한 고휘도 청색 LED가 실용화됨에 따라 백색 LED가 실현되어, 제4의 조명용 광원으로서 주목받고 있다.

(2) LED는 왜 발광하는가?

LED는 전자(마이너스 성질)가 많은 N형(− : negative) 반도체와 정공(플러스 성질)이 많은 P형(+ : positive) 반도체를 접합한 것이다. 이 반도체에 순방향 전압을 인가하면, 전자와 정공이 이동하여 접합부에서 재결합하고, 이러한 재결합 에너지가 빛이 되어 방출된다.

전기 에너지를 일단 열 에너지로 변환하고, 그 후 빛 에너지로 변환하는 기존의 광원에 비해, 전기 에너지를 직접 빛 에너지로 변환하기 때문에 전기 에너지가 낭비되지 않아 고효율의 빛을 얻을 수 있다.

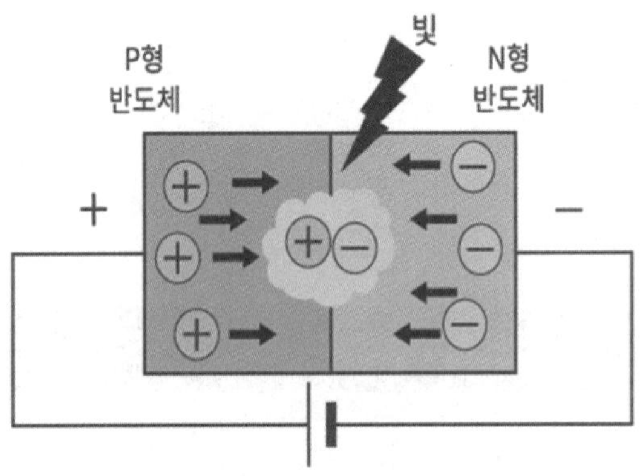

[그림 4-1] LED의 발광 원리

(3) LED의 종류

LED에는 램프 타입(리드 타입)과 칩 타입(면실장 타입)의 2가지 종류가 있으므로, 용도에 따라 사용할 수 있다.

[그림 4-2] LED의 종류

[출처] http://www.rohm.co.kr/web/korea/led_what1

4.1.2 모듈 특성

LED 실습에 필요한 회로를 모듈로 구성하였다.

LED 제어 핀은 사용자 편의를 위해 고정되어 있으며, 모듈의 앞면에 표시되어 있다.

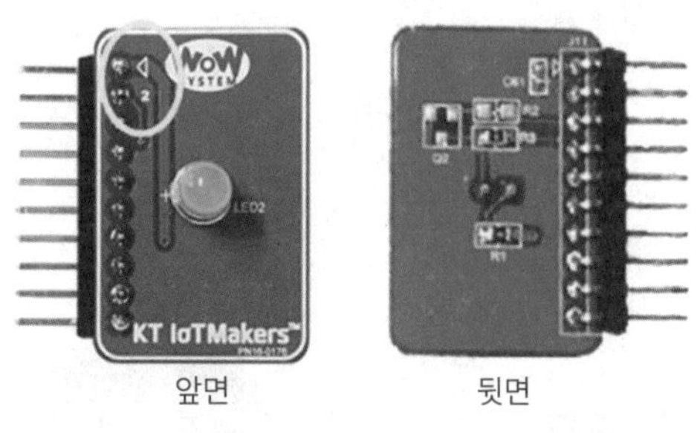

[그림 4-3] LED 모듈

4.1.3 회로도

회로도를 보면 LED는 풀업 저항(5V 전원에 저항을 연결함)을 가지고 있으므로 아두이노 핀의 신호가 'LOW'일 때는 LED가 켜지고(ON), 'HIGH'일 때는 LED가 꺼지는(OFF) 동작을 한다. LED 모듈은 2번 핀(IO2)에 LED가 연결되어 있으며, 모듈의 1번 핀과 10번 핀은 각각 VCC와 GND에 연결되어 있다.

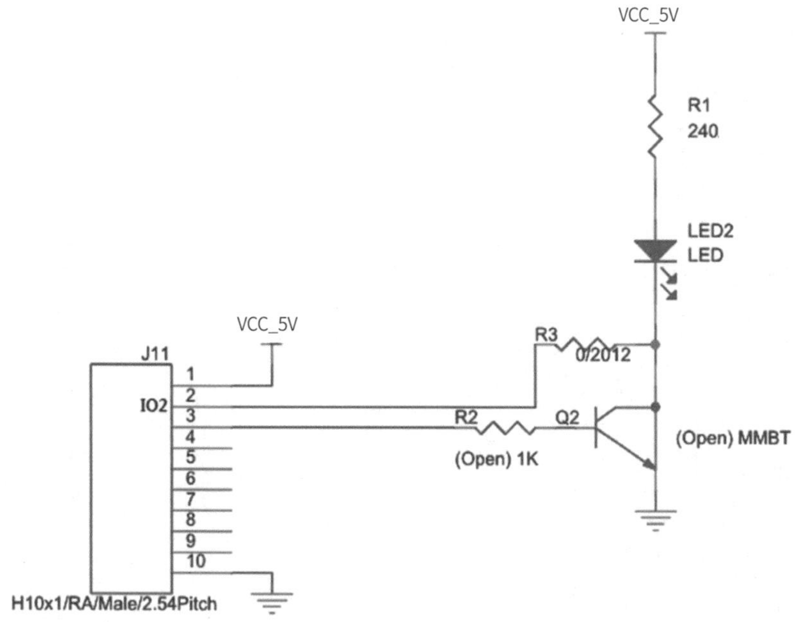

[그림 4-4] LED 모듈 회로도

4.2 개발 환경 구축

4.2.1 결선 방법

아래 그림과 같이 장비의 아래쪽에 모듈을 연결할 수 있는 컨넥터가 있다. 모듈을 연결 시 Starter Kit와 모듈의 연결 부분에 화살표가 마주 보는 상태로 연결되어야 한다.

만약 모듈을 뒤집어서 연결할 경우, VCC와 GND 전원 연결 핀이 반대로 연결되어 고장이 일어날 수 있으므로 뒤집어서 연결하지 않도록 주의한다.

[그림 4-5] 모듈 컨넥터

[그림 4-6] 모듈 연결 방법

4.2.2 펌웨어 설명

'ledPin' 변수를 선언하고 LED가 연결된 핀 번호 2를 입력한다.(Digital 핀을 사용할 경우 숫자만 입력하면 된다.)

```
int ledPin = 2;
```

'setup()' 함수는 실행 시 가장 먼저 호출되는 함수이며, 최초 1번만 실행된다.

'pinMode()' 함수를 사용하여 LED 핀을 출력으로 설정한다. 첫 번째 인자 값은 연결된 핀 번호이며, 두 번째 인자 값은 입/출력을 설정한다.

```
void setup()
{
    pinMode(ledPin, OUTPUT);
}
```

'loop()' 함수는 실제 동작이 이루어지는 부분이다.

'digitalWirte()' 함수를 사용하여 연결된 LED 핀에 'LOW'와 'HIGH'로 신호 값을 주어 LED가 ON/OFF 되도록 한다. 'delay()' 함수는 입력된 숫자만큼 시간을 연기시켜 주는 함수이다. 단위는 ms(millisecond)이므로, 1초 동안 딜레이를 주기 위해서는 1000을 입력하면 된다.

```
void loop()
{
    digitalWrite(ledPin, LOW);
    delay(1000);
    digitalWrite(ledPin, HIGH);
    delay(1000);
}
```

4.3 펌웨어 연동 및 테스트

4.3.1 장비 결선 및 업로드

① PC와 Starter Kit를 USB Cable로 연결한다.

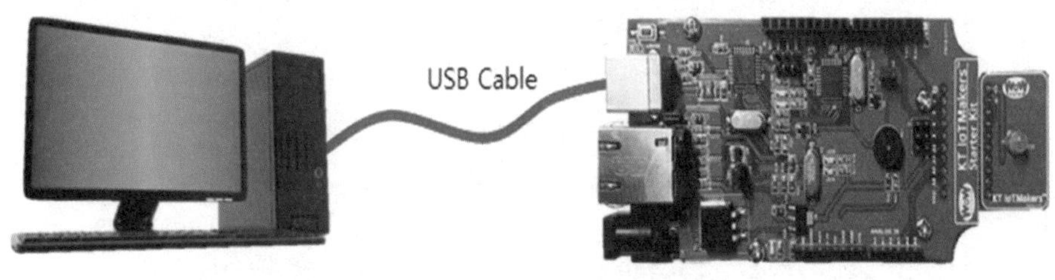

[그림 4-7] PC와 Starter Kit 연결

② '툴 - 보드'에서 'Arduino/Genuino Uno'를 선택한다.

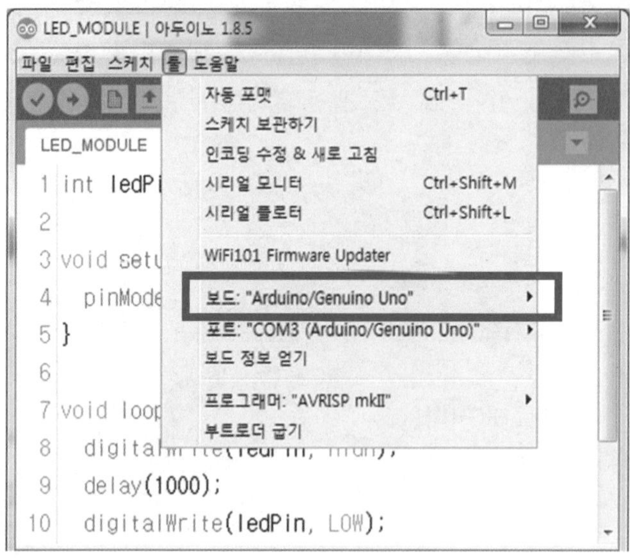

[그림 4-8] Arduino 보드 선택

③ USB로 연결된 장비의 해당 포트를 선택한다. (본 실습환경에서 사용한 포트는 'COM3이다.)

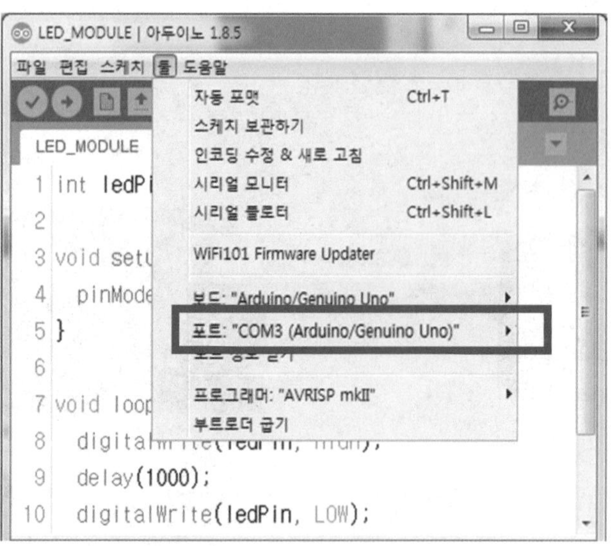

[그림 4-9] Arduino 포트 선택

④ '컴파일 및 업로드' 버튼을 선택한다.

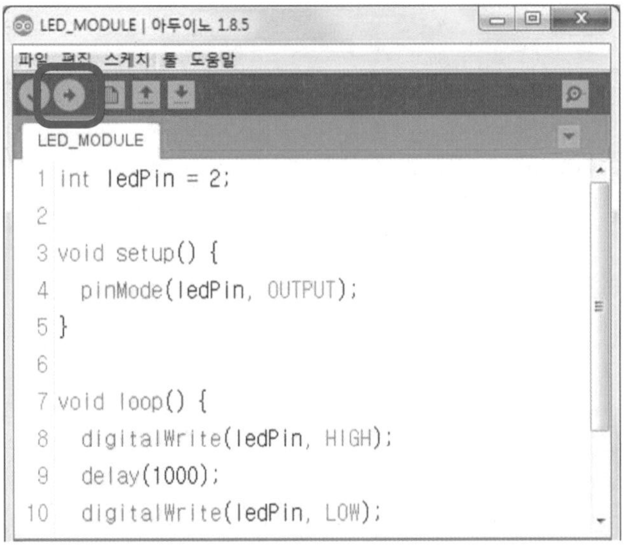

LED_MODULE | 아두이노 1.8.5

파일 편집 스케치 툴 도움말

LED_MODULE

```
int ledPin = 2;

void setup() {
  pinMode(ledPin, OUTPUT);
}

void loop() {
  digitalWrite(ledPin, HIGH);
  delay(1000);
  digitalWrite(ledPin, LOW);
```

[그림 4-10] 컴파일 및 업로드

4.3.2 실행 결과

모듈의 LED가 1초 간격으로 ON, OFF 되는 것을 확인할 수 있다.

[그림 4-11] LED OFF

[그림 4-12] LED ON

4.4 과제

LED가 2초 동안 ON된 후, 4초 동안 OFF되도록 펌웨어를 작성한다.

PART
05

아두이노를 이용한 FND 모듈 제어

PART 05 아두이노를 이용한 FND 모듈 제어

실습 목표

- ▶ FND 모듈의 구조와 동작 원리를 이해한다.
- ▶ 아두이노를 이용하여 FND 모듈을 제어한다.

5.1 하드웨어 구성 확인하기

5.1.1 기초 이론

(1) FND(Flexible Numeric Display)

FND는 7-Segment라고도 불리며 표시 장치로 많이 사용하는 소자 중의 하나이다. FND는 발광 LED 8개를 문자 형태로 배열하여 간단하게 출력을 조작하면 사용자가 원하는 글자를 표현할 수 있도록 만들어 놓은 소자이다.

[그림 5-1] FND

(2) FND의 종류

FND는 공통선을 연결한 형태에 따라 두 가지로 나누어진다.

음극을 공통선으로 연결한 것을 Common Cathode라고 부르며, 양극을 공통 선으로 연결한 것을 Common Anode라고 부른다.

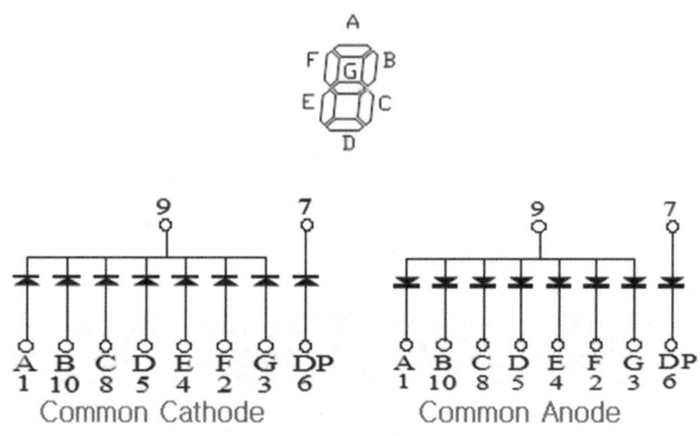

[그림 5-2] FND 종류별 회로

Common Anode형은 FND의 각 세그먼트를 점등하기 위해 Com단자에 +전압(+5V)을 인가하고 각 단자에는 GND(0V)를 인가하여야 점등이 가능하며, Common Cathode형은 반대로 전압을 인가하여 주어야 한다. Common Anode형의 FND에 숫자를 표현하기 위해서는 입력 단자 A~G까지에 인가할 신호는 아래와 같다.

숫자	DP	G	F	E	D	C	B	A	HEX값
0	1	1	0	0	0	0	0	0	0xC0
1	1	1	1	1	1	0	0	1	0xF9
2	1	0	1	0	0	1	0	0	0xA4
3	1	0	1	1	0	0	0	0	0xB0
4	1	0	0	1	1	0	0	1	0x99
5	1	0	0	1	0	0	1	0	0x92
6	1	0	0	0	0	0	1	0	0x82
7	1	1	1	1	1	0	0	0	0xF8
8	1	0	0	0	0	0	0	0	0x80
9	1	0	0	1	0	0	0	0	0x90

(3) FND 구동 방식

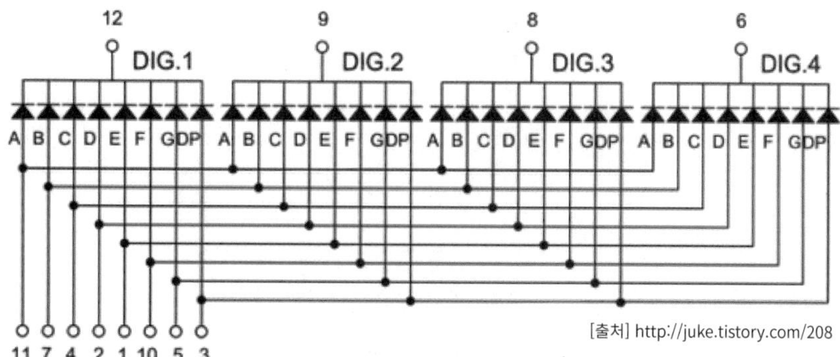

[그림 5-3] FND의 구동 방식

FND의 구동 방식은 Static 구동 방식과 Dynamic 구동 방식이 있다. Static 구동 방식은 모든 FND의 포트 혹은 플립플롭을 통하여 한꺼번에 구동하는 방식이고, Dynamic 구동 방식은 FND 전체를 한꺼번에 켜지 않고 segment를 하나씩 빠르게 번갈아가며 점등하는 방법이다. 빠르게 하나씩 순차적으로 FND를 점등하면 사람의 눈의 착시 현상으로 여러 개의 FND가 동시에 점등된 것처럼 보이며 하나씩 FND를 켜기 때문에 소모되는 전류를 줄이는 효과도 있다.

5.1.2 모듈 특성

FND는 8개의 LED로 구성되어 있으며, 각 획은 위쪽 가로 획부터 시계 방향으로 각각 A~G의 이름으로 불린다. 그리고 소수를 나타내기 위해 오른쪽 아래에 소수점(DP)이 붙는다. 8개의 핀(A~G, DP)의 선택에 따라 숫자 또는 문자가 표시된다.

FND 제어 핀은 사용자 편의를 위해 고정되어 있으며, 모듈의 앞면에 표시되어 있다.

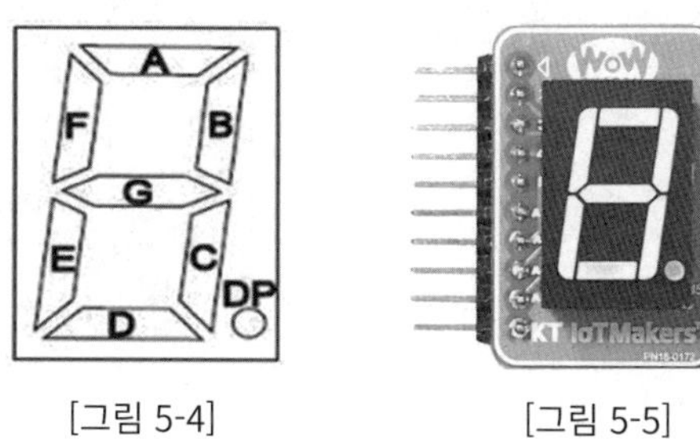

[그림 5-4] [그림 5-5]

5.1.3 회로도

FND 모듈은 2~9번 핀(IO2~IO5, AD2~AD5)이 FND의 A~G와 DP LED에 각각 연결되어 있으며, 모듈의 1번 핀과 10번 핀은 각각 VCC와 GND에 연결되어 있다.

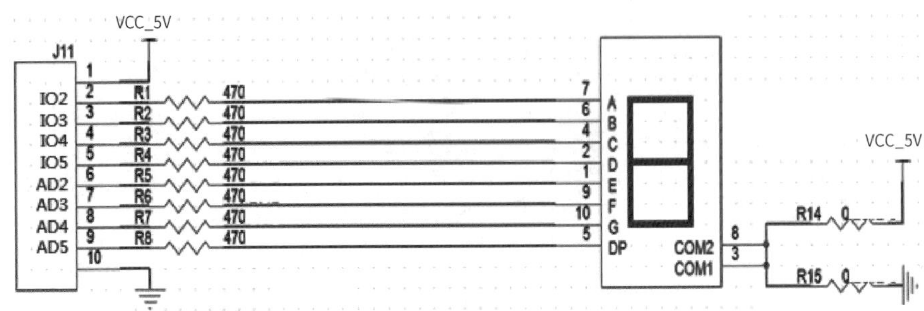

[그림 5-6] FND 모듈 회로도

5.2 개발 환경 구축

5.2.1 결선 방법

아래 그림과 같이 장비의 아래쪽에 모듈을 연결할 수 있는 컨넥터가 있다. 모듈을 연결 시 Starter Kit와 모듈의 연결 부분에 화살표가 마주 보는 상태로 연결되어야 한다.

만약 모듈을 뒤집어서 연결할 경우, VCC와 GND 전원 연결 핀이 반대로 연결되어 고장이 일어날 수 있으므로 뒤집어서 연결하지 않도록 주의한다.

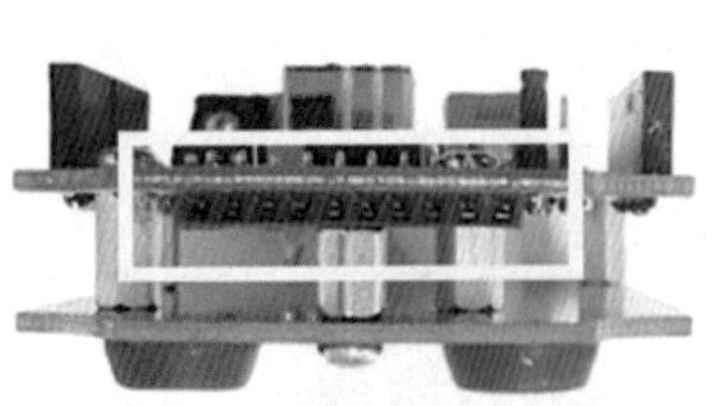
[그림 5-7] 모듈 컨넥터

[그림 5-8] 모듈 연결 방법

5.2.2 펌웨어 설명

FND가 연결된 핀 번호를 선언하고, FND의 총 LED 수를 선언한다. FND 모듈의 핀은 IO2~IO5, A2~A5 핀 순서로 고정되어 있다.

```
int segmentLEDs[] = {2, 3, 4, 5, A2, A3, A4, A5};
int segmentLEDsNum = 8;
```

각 숫자를 표시하기 위하여 LED의 설정 값을 배열로 정의한다.

```
int digitForNum[10][8] = {     //a, b, c, d, e, f, g, DP
                               {1, 1, 1, 1, 1, 1, 0, 0}, //0
                               {0, 1, 1, 0, 0, 0, 0, 0}, //1
                               {1, 1, 0, 1, 1, 0, 1, 0}, //2
                               {1, 1, 1, 1, 0, 0, 1, 0}, //3
                               {0, 1, 1, 0, 0, 1, 1, 0}, //4
                               {1, 0, 1, 1, 0, 1, 1, 0}, //5
                               {0, 0, 1, 1, 1, 1, 1, 0}, //6
                               {1, 1, 1, 0, 0, 0, 0, 0}, //7
                               {1, 1, 1, 1, 1, 1, 1 0}, //8
                               {1, 1, 1, 0, 0, 1, 1, 0}}; //9
```

'setup()' 함수에서는 for 문을 이용하여 FND에 연결된 핀을 순서대로 출력(OUTPUT)으로 설정한다.

```
void setup()
{
  for(int i = 0; i < segmentLEDsNum ; i++)
  {
    pinMode(segmentLEDs[i], OUTPUT);
  }
}
```

'loop()' 함수에서는 이중 for 문을 사용하여 0부터 9까지 숫자를 증가하면서 출력한다. 여기서 변수 'i'는 FND에 출력할 숫자 0~9를 결정하고, 'j'는 FND의 8개 LED 위치를 결정한다.

```
void loop()
{
 for (int i = 0; i < 10 ; i ++)
 {
  for (int j = 0; j < segmentLEDsNum ; j ++)
  {
   digitalWrite(segmentLEDs[j], digitForNum[i][j]);
  }
  delay(1000);
 }
}
```

5.3 펌웨어 연동 및 테스트

5.3.1 장비 결선 및 업로드

① PC와 Starter Kit를 USB Cable로 연결한다.

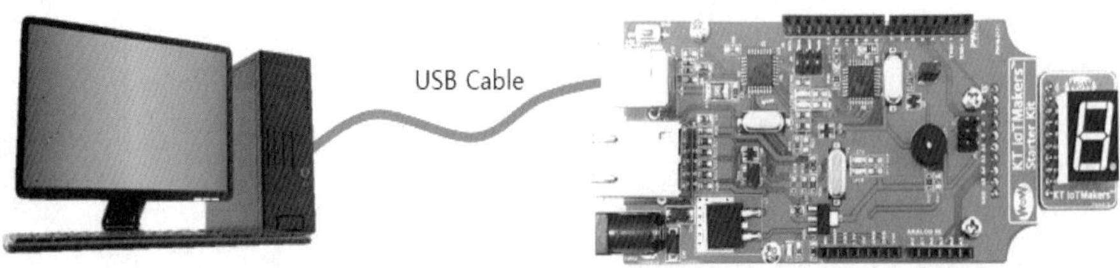

[그림 5-9] PC와 Starter Kit 연결

② '툴-보드'에서 'Arduino/Genuino Uno'를 선택한다.

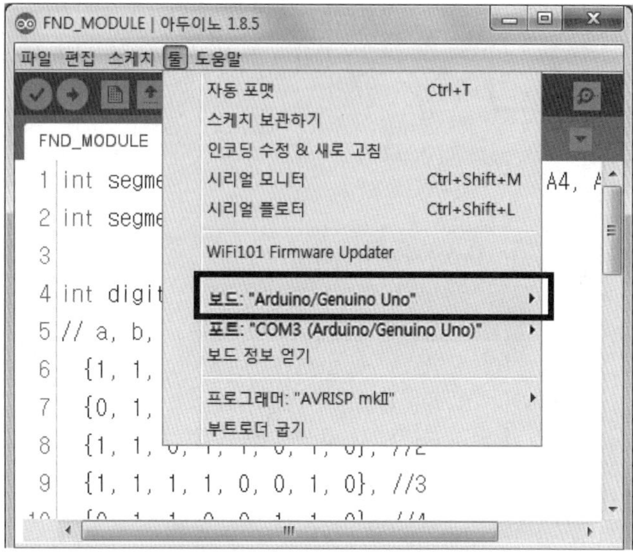

[그림 5-10] Arduino 보드 선택

③ USB로 연결된 장비의 해당 포트를 선택한다. (본 실습 환경에서 사용한 포트는 'COM3'이다.)

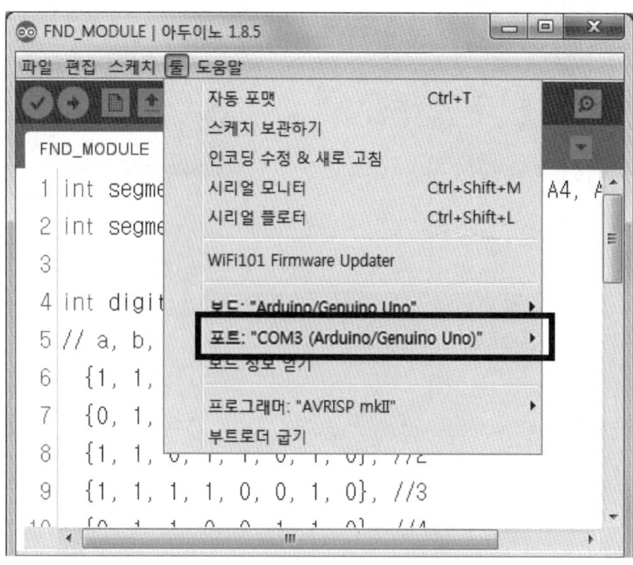

[그림 5-11] Arduino 포트 선택

④ '컴파일 및 업로드' 버튼을 선택한다.

```
int segmentLEDs[] = {2, 3, 4, 5, A2, A3, A4, A
int segmentLEDsNum = 8;

int digitForNum[10][8] = {
// a, b, c, d, e, f, g, DP
  {1, 1, 1, 1, 1, 1, 0, 1}, //0
  {0, 1, 1, 0, 0, 0, 0, 0}, //1
  {1, 1, 0, 1, 1, 0, 1, 0}, //2
  {1, 1, 1, 1, 0, 0, 1, 0}, //3
```

[그림 5-12] 컴파일 및 업로드

5.3.2 실행 결과

모듈의 FND에 0~9까지 숫자가 순서대로 출력되는 것을 확인할 수 있다.

[그림 5-13] FND 숫자 출력

5.4 과제

1) FND의 숫자가 9에서 0으로 역순서 출력하도록 펌웨어를 작성한다.
2) FND의 숫자가 0부터 9까지 증가 카운트 후 다시 감소 카운트 동작하도록 펌웨어를 작성한다.

PART
06

아두이노를 이용한
조도센서 모듈 모니터링

PART 06 아두이노를 이용한 조도센서 모듈 모니터링

실습 목표

- ▶ 조도센서 모듈의 구조와 동작 원리를 이해한다.
- ▶ 아두이노를 이용하여 조도센서 모듈의 상태를 확인한다.

6.1 하드웨어 구성 확인하기

6.1.1 기초 이론

CDS(광도전 효과형 광센서)는 반도체에 빛이 닿으면 전자와 정공이 증가하고 조사된 빛에너지에 비례하여 전류가 증가하는 원리를 이용한 것이다.

(1) CDS의 구조

CDS는 극성 없이 교류회로에 사용 가능하며 제작은 세라믹 기판에 CDS 분말을 소결하여 제작한다. CDS는 광도전체를 좌우 전극으로 둘러싸서 저항체를 구성하고 CDS의 황화카드뮴이 광도전체 역할을 하게 되며 빛에너지가 입사하게 되면 내부적으로 광도전 효과가 발생하고 두 전극 사이에 내부 저항이 작아지게 된다.

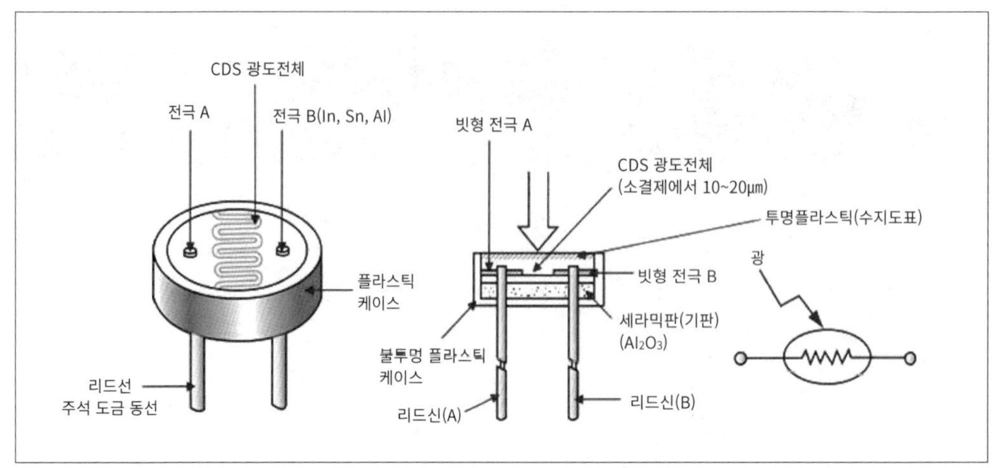

[그림 6-1] CDS 센서의 구조

(2) CDS 센서의 특징

- 소형
- 가격이 저렴함
- 무극성(ohm 구조) 소자이므로 회로 구성이 매우 간단
- 응답 특성이 낮으므로 고속 광 스위칭에서는 적합하지 않음

(3) 용도

- 카메라의 노출계
- 조명의 자동 점멸 장치
- TV 수상기의 자동 휘도 조정 장치
- 광 스위치

[출처] http://blog.naver.com/PostView.nhn?blogId=kimwonseok77&logNo=40076373037

6.1.2 모듈 특성

모듈의 CDS 센서는 아날로그 센서이다. CDS 핀은 사용자의 편의를 위해 고정되어 있으며, 모듈의 앞면에 표시되어 있다.

[그림 6-2]

6.1.3 회로도

조도센서 모듈은 7번 핀(AD3)에 CDS 센서가 연결되어 있으며, 모듈의 1번 핀과 10번 핀은 각각 VCC와 GND에 연결되어 있다.

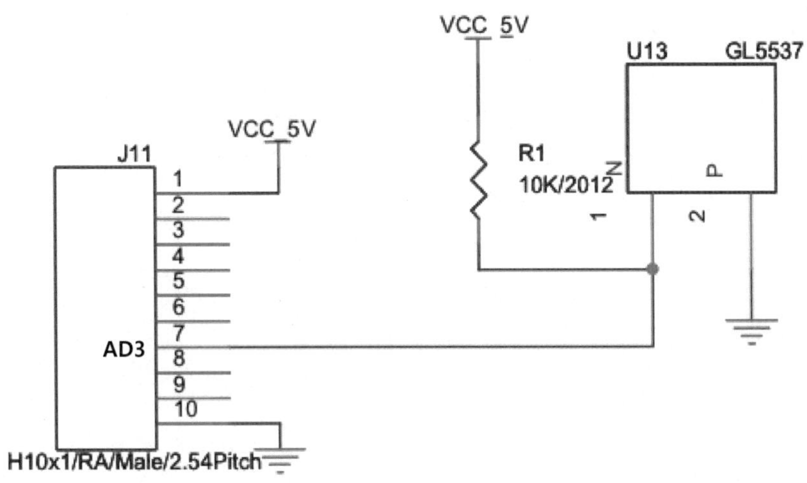

[그림 6-3] 조도센서 모듈 회로도

6.2 개발 환경 구축

6.2.1 결선 방법

아래 그림과 같이 장비의 아래쪽에 모듈을 연결할 수 있는 컨넥터가 있다. 모듈을 연결 시 Starter Kit와 모듈의 연결 부분에 화살표가 마주 보는 상태로 연결되어야 한다.

만약 모듈을 뒤집어서 연결할 경우, VCC와 GND 전원 연결 핀이 반대로 연결되어 고장이 일어날 수 있으므로 뒤집어서 연결하지 않도록 주의한다.

[그림 6-4] 모듈 컨넥터

[그림 6-5] 모듈 연결 방법

6.2.2 펌웨어 설명

CDS 센서에서 불러온 값을 저장할 변수 'val'을 선언하여 값을 0으로 초기화하고 CDS 센서가 연결된 핀 번호 A3을 입력한다.(Analog 핀을 사용할 경우 Digital 핀과 구분을 위해 'A'를 붙여서 입력해야 한다.)

```
int val = 0;
int CDSpin = A3;
```

'setup()' 함수에서는 읽어온 센서 값을 보여주기 위하여 시리얼 통신을 사용한다.

'Serial, begin()' 함수에서는 시리얼 통신 속도를 9600bps로 설정한 후 초기화한다.

```
void setup()
{
  Serial.begin(9600);
}
```

'loop()' 함수에서는 'analogRead()' 함수를 이용하여 아날로그 핀에 연결된 CDS 센서 값을 읽어 'val' 변수에 저장하고, 'Serial.print()' 함수로 'val' 변수에 저장된 CDS 센서 값을 1초 간격으로 출력한다.

```
void loop()
{
  val = analogRead(CDSpin);

  Serial.print("CDS = ");
  Serial.println(val);
  delay(1000);
}
```

6.3 펌웨어 연동 및 테스트

6.3.1 장비 결선 및 업로드

① PC와 Starter Kit를 USB Cable로 연결한다.

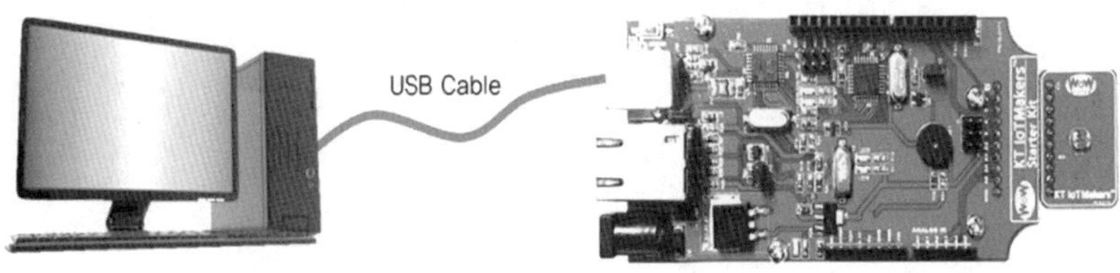

[그림 6-6] PC와 Starter Kit 연결

② '툴-보드'에서 'Arduino/Genuino Uno'를 선택한다.

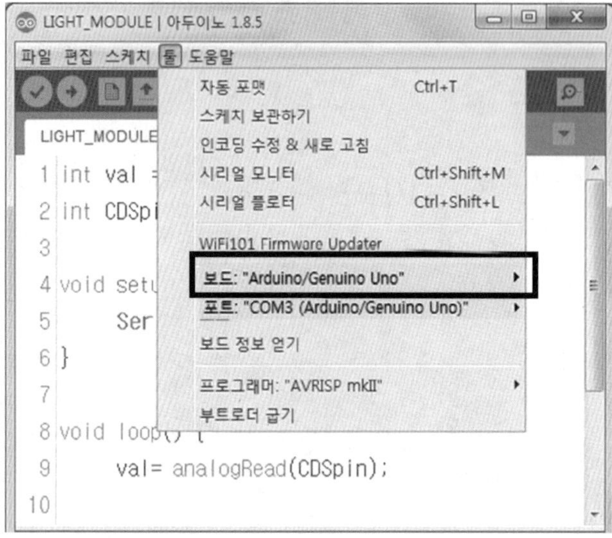

[그림 6-7] Arduino 보드 선택

③ USB로 연결된 장비의 해당 포트를 선택한다. (본 실습 환경에서 사용한 포트는 'COM3'이다.)

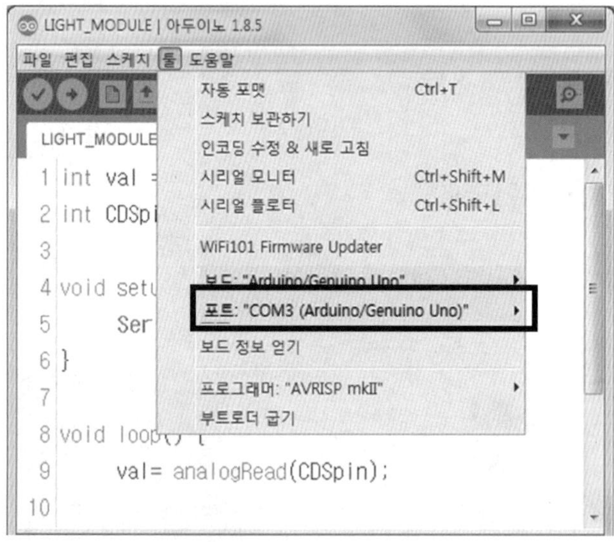

[그림 6-8] Arduino 포트 선택

④ '컴파일 및 업로드' 버튼을 선택한다.

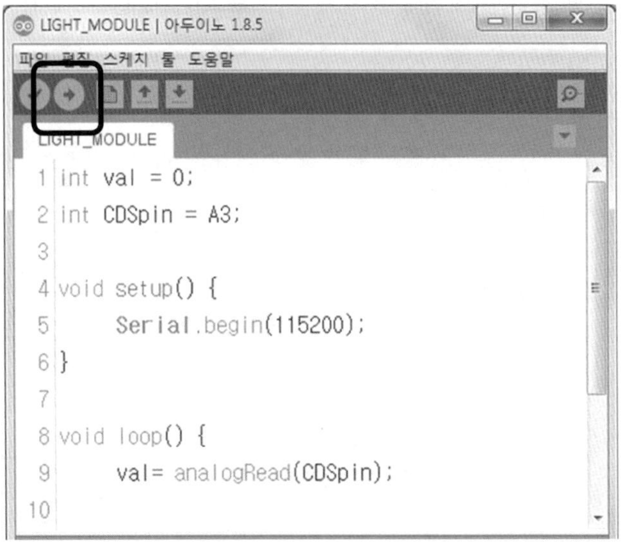

LIGHT_MODULE | 아두이노 1.8.5

파일 편집 스케치 툴 도움말

LIGHT_MODULE

```
int val = 0;
int CDSpin = A3;

void setup() {
	Serial.begin(115200);
}

void loop() {
	val= analogRead(CDSpin);

```

[그림 6-9] 컴파일 및 업로드

⑤ 시리얼 모니터를 실행한다.

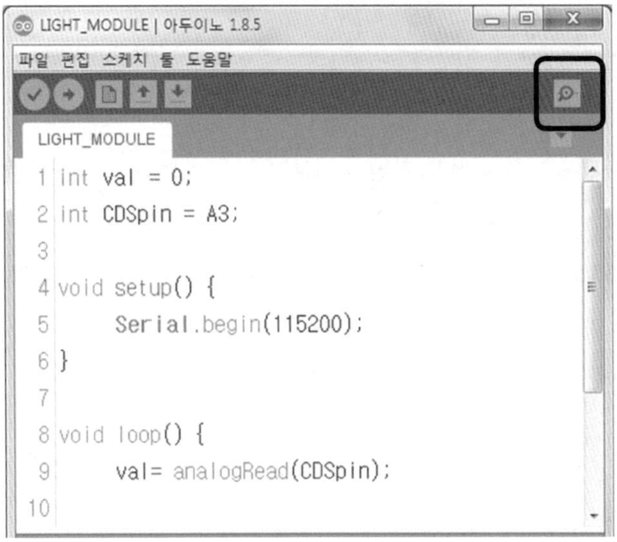

LIGHT_MODULE | 아두이노 1.8.5

파일 편집 스케치 툴 도움말

LIGHT_MODULE

```
int val = 0;
int CDSpin = A3;

void setup() {
	Serial.begin(115200);
}

void loop() {
	val= analogRead(CDSpin);

```


[그림 6-10]시리얼 모니터 실행

6.3.2 실행 결과

빛의 밝기가 어두울 때에는 센서 값이 높아지고, 밝을 때에는 센서 값이 낮게 나타나는 것을 확인할 수 있다.

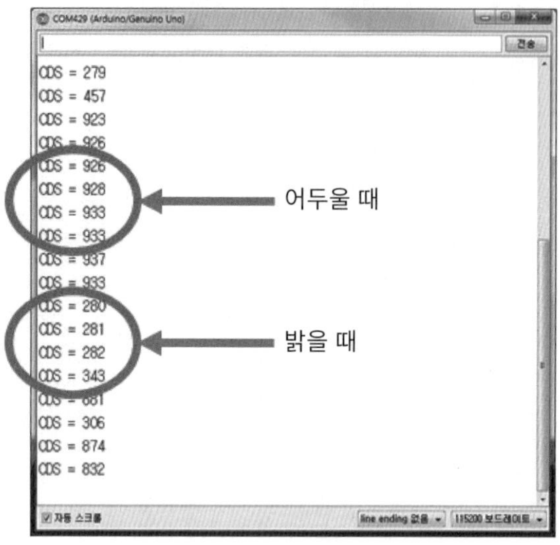

[그림 6-11] 실행 결과

6.4 과제

1) 센서 값이 300 이하로 떨어지면 'Light'라는 문자를 출력하도록 펌웨어를 작성한다.
2) 'map()' 함수를 사용하여 빛의 밝기가 밝을 때 센서 값이 높아지고, 어두울 때 낮아지도록 펌웨어를 작성한다. ('map' 함수는 기존 범위의 최소/최댓값을 새로운 범위의 최소/최댓값으로 변경할 때 사용한다.)

PART
07

4차 산업혁명 요소 기술 아두이노를 이용한 IoT 디바이스 개발 실무

아두이노를 이용한 온도센서 모듈 모니터링

PART 07 아두이노를 이용한 온도센서 모듈 모니터링

실습 목표

- ▶ 온도센서 모듈의 구조와 동작 원리를 이해한다.
- ▶ 아두이노를 이용하여 온도센서 모듈을 제어한다

7.1 하드웨어 구성 확인하기

7.1.1 기초 이론

DS18B20은 다양한 온도센서 중 하나이다. 온도센서는 물체의 온도를 감지하여 전기신호로 바꿔주는 센서로 보통은 아날로그 센서를 사용하나 DS18B20은 디지털 센서이다. 기본적으로 온도센서는 에어컨이나 보일러, 전기밥솥 등 온도 감지가 필요한 전자기기에 주로 쓰인다.

[그림 7-1] 온도센서

- 사용 가능한 온도 범위 : -55~125℃ (-67°F~ +257°F)
- 9에서 12 bit까지 선택 가능한 분해능
- 1-wire 인터페이스 사용으로 통신 시 한 개의 디지털 핀만을 사용함
- 칩에 구워진 고유한 64비트 ID
- 여러 개의 센서가 한 개의 핀을 공유 가능
- -10℃~+85℃ 구간에서 ±0.5℃의 정확도
- 온도 한계치 알람 시스템
- 쿼리 타임은 750ms 이하
- 3.0V~5.5V 파워/데이터와 사용 가능

7.1.2 모듈 특성

온도센서는 아날로그 타입과 디지털 타입이 있지만, 장착된 온도센서는 디지털 타입이다. 온도센서 핀은 사용자 편의를 위해 고정되어 있으며, 모듈의 앞면에 표시되어 있다.

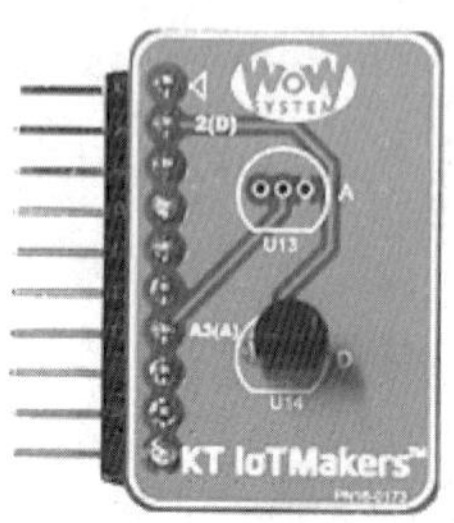

[그림 7-2]

7.1.3 회로도

온도센서 모듈은 2번 핀(IO2)에 디지털 온도센서가 연결되어 있으며, 모듈의 1번 핀과 10번 핀은 각각 VCC와 GND에 연결되어 있다. 또한, 아날로그 온도센서를 추가하면 7번 핀(AD3)에 연결하여 이용할 수 있다.

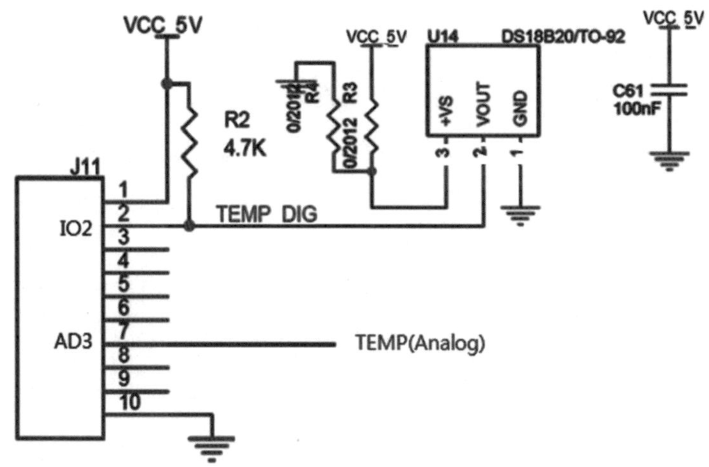

[그림 7-3] 온도센서 모듈 회로도

7.2 개발 환경 구축

7.2.1 결선 방법

아래 그림과 같이 장비의 아래쪽에 모듈을 연결할 수 있는 컨넥터가 있다. 모듈을 연결 시 Starter Kit와 모듈의 연결 부분에 화살표가 마주 보는 상태로 연결되어야 한다.

만약 모듈을 뒤집어서 연결할 경우, VCC와 GND 전원 연결 핀이 반대로 연결되어 고장이 일어날 수 있으므로 뒤집어서 연결하지 않도록 주의한다.

[그림 7-4] 모듈 컨넥터

[그림 7-5] 모듈 연결 방법

7.2.2 펌웨어 설명

온도센서를 사용하기 위해 'OneWire'와 'DallasTemperature' 라이브러리를 펌웨어에 포함시켜야 한다. 각각의 라이브러리는 디지털 온도센서의 동작을 위한 함수들이 선언되어 있다.

```
#include <OneWire.h>
#include <DallasTemperature.h>
```

위에서 선언한 각각의 라이브러리의 객체를 선언하고, OneWire 라이브러리를 DallasTemperature 라이브러리에서 사용할 수 있도록 연결한다.

```
#define ONE_WIRE_BUS 2

OneWire ourWire(ONE_WIRE_BUS);
DallasTemperature sensors(&ourWire);
```

'setup()' 함수에서는 읽어온 센서 값을 보여주기 위하여 시리얼 통신 속도를 9600bps로 설정하고, 사용할 센서를 초기화한다.

```
void setup()
{
  Serial.begin(9600);

  sensors.begin();
}
```

'loop()' 함수에서는 'requestTemperatures()' 함수를 호출하여 센서 값을 읽어오고, 섭씨의 값을 출력하는 'getTempCByIndex()' 함수와 화씨의 값을 출력하는 'getTempFByIndex()' 함수를 각각 호출하여 시리얼 모니터에 3초 간격으로 출력한다.

```
void loop()
{
  sensors.requestTemperatures();

  Serial.print(sensor.getTempCByIndex(0));
  Serial.println(" Celsius");

  Serial.print(sensors.getTempFByIndex(0));
  Serial.println(" Fahrenheit");
  Serial.println();
  delay(3000);
}
```

7.3 펌웨어 연동 및 테스트

7.3.1 장비 결선 및 업로드

① PC와 Starter Kit를 USB Cable로 연결한다.

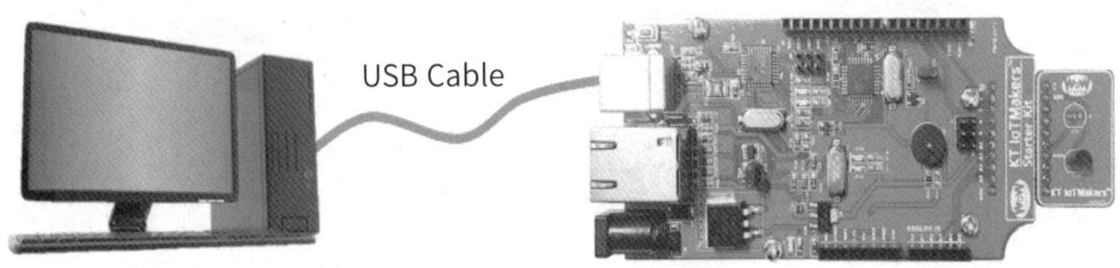

[그림 7-6] PC와 Starter Kit 연결

② '툴-보드'에서 'Arduino/Genuino Uno'를 선택한다.

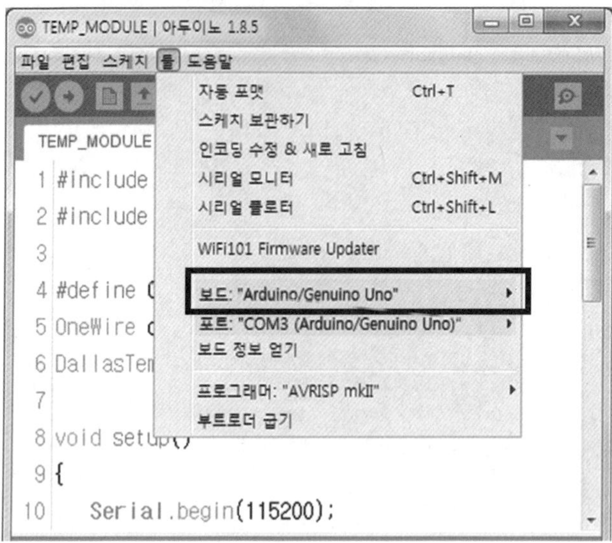

[그림 7-7] Arduino 보드 선택

③ USB로 연결된 장비의 해당 포트를 선택한다. (본 실습 환경에서 사용한 포트는 'COM3'이다.)

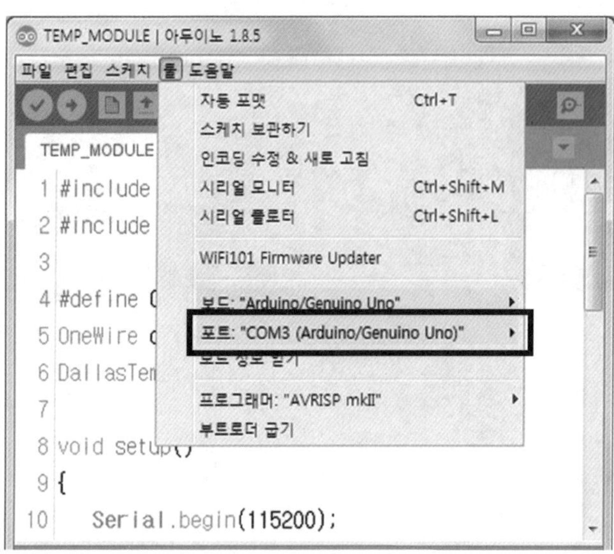

[그림 7-8] Arduino 포트 선택

④ '컴파일 및 업로드' 버튼을 선택한다.

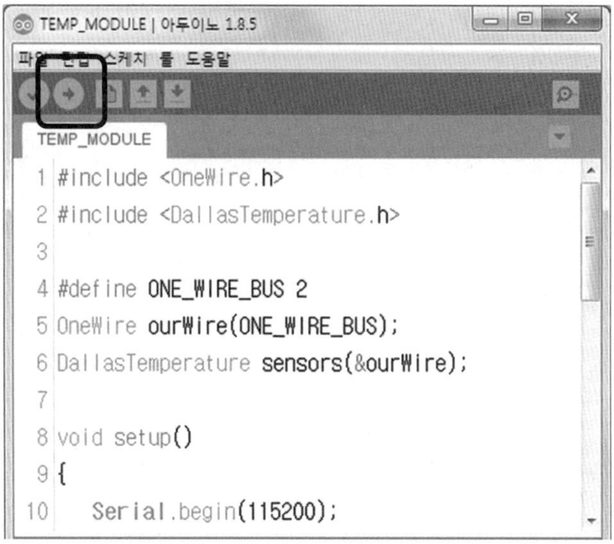

TEMP_MODULE | 아두이노 1.8.5
파일 편집 스케치 툴 도움말
TEMP_MODULE
#include <OneWire.h>
#include <DallasTemperature.h>
#define ONE_WIRE_BUS 2
OneWire ourWire(ONE_WIRE_BUS);
DallasTemperature sensors(&ourWire);
void setup()
{
Serial.begin(115200);

[그림 7-9] 컴파일 및 업로드

⑤ 시리얼 모니터를 실행한다.

TEMP_MODULE | 아두이노 1.8.5
파일 편집 스케치 툴 도움말
TEMP_MODULE
#include <OneWire.h>
#include <DallasTemperature.h>
#define ONE_WIRE_BUS 2
OneWire ourWire(ONE_WIRE_BUS);
DallasTemperature sensors(&ourWire);
void setup()
{
Serial.begin(115200);

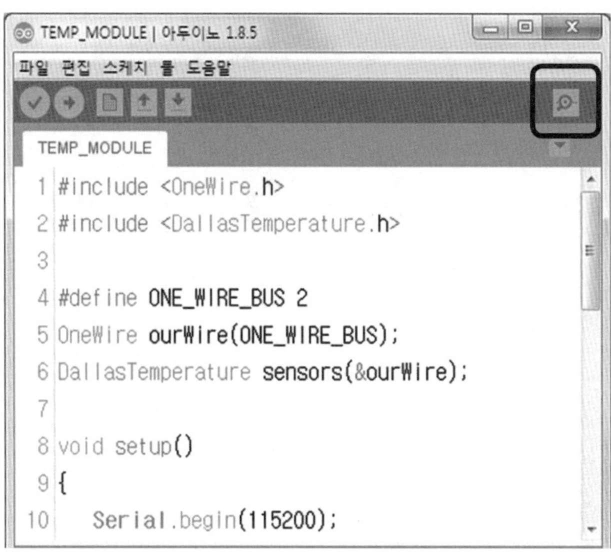

[그림 7-10] 시리얼 모니터 실행

7.3.2 실행 결과

3초 간격으로 현재 온도의 섭씨/화씨 값이 시리얼 모니터에 출력되는 것을 확인할 수 있다.

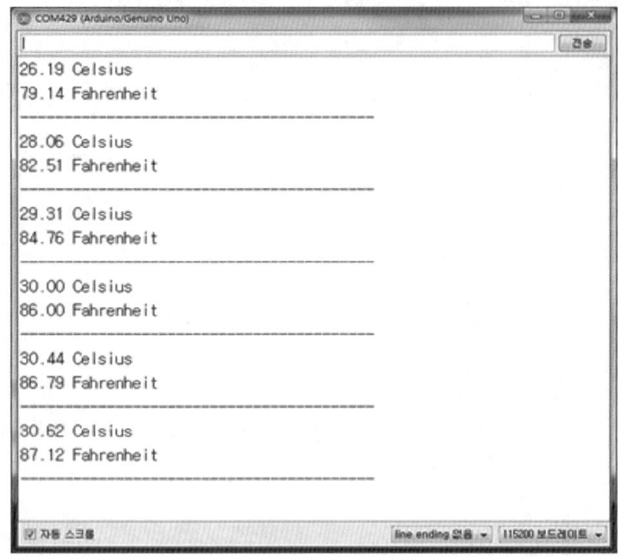

[그림 7-11] 실행 결과

7.4 과제

1) 온도센서 값의 출력을 섭씨 값만 출력되도록 펌웨어를 작성한다.
2) 온도센서의 값이 30도 이상이면 시리얼 모니터에 "HOT!!" 메시지를 출력하도록 펌웨어를 작성한다.

PART
08

4차 산업혁명 요소 기술 아두이노를 이용한 IoT 디바이스 개발 실무

아두이노를 이용한 Servo 모터 모듈 제어

PART 08 아두이노를 이용한 Servo 모터 모듈 제어

실습 목표

- ▶ Servo 모터 모듈의 구조와 동작 원리를 이해한다.
- ▶ 아두이노를 이용하여 Servo 모터 모듈을 제어한다.

8.1 하드웨어 구성 확인하기

8.1.1 기초 이론

(1) 서보 모터(Servo Motor)

서보 모터는 주어진 신호에 의해서 일정한 각을 유지하거나 일정한 위치를 유지하는 모터를 말한다. RC 서보 모터는 일반적으로 무선 조종 자동차 모형 비행기에 조향 장치 등으로 많이 사용하는 모터이다. 서보 모터에 일정한 PWM 신호를 넣어주면 일정 각도를 유지한다. 동작 영역은 약 0~180°이다.

[그림 8-1] Servo 모터

(2) RC 서보 모터 구동 방법

아래 그림과 같이 RC 서보 모터에는 3개의 선이 있다. 각각 GND(갈색), VCC(빨강), PWM(주황)이다. 보통 전원은 4~6V에서 동작을 한다. 모터의 동작은 PWM 입력 선으로 일정 주기의 펄스 신호를 주면 모터가 -90~90°의 사이에서 동작을 한다.

20ms의 주기로 1.9ms의 신호를 넣어주면 0°의 각도로 동작하고, 0.7ms일 때는 -90°, 2.3ms의 신호를 넣어주면 90°로 동작한다.

이밖에 다른 각도 제어를 한다면 0.7ms~2.3ms까시 다른 펄스의 신호를 넣어주면 된다. 펄스를 입력해주는 도중 신호가 중단된다면 모터는 각도 제어를 실행하지 않게 된다.

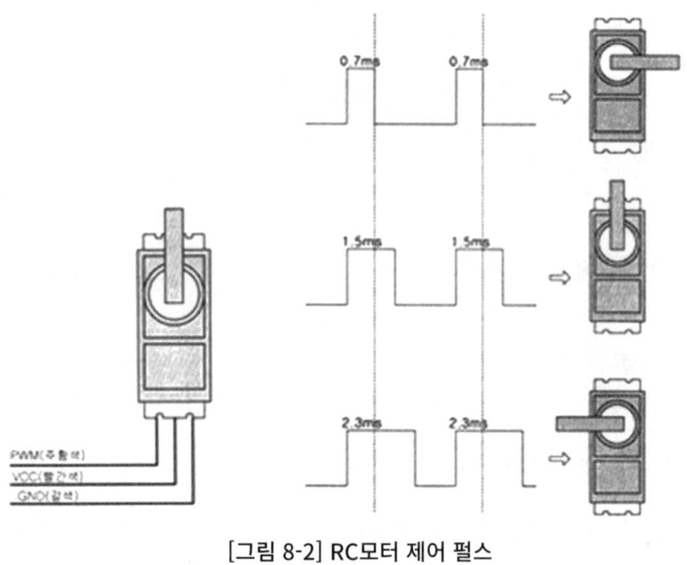

[그림 8-2] RC모터 제어 펄스

[출처] http://ropros.org/plugins/viewsource/viewpagesrc.action?pageId=5570649

8.1.2 모듈 특성

Servo 모터는 제어 구동 보드를 포함하고 있다. 실습에서 사용하는 Servo 모터는 일반적으로 많이 쓰이는 종류의 모터로 0°~180°(±90°) 범위 내에서 각도 제어가 가능하다. Servo 모터 제어 핀은 사용자 편의를 위해 고정되어 있으며, 모듈의 앞면에 표시되어 있다.

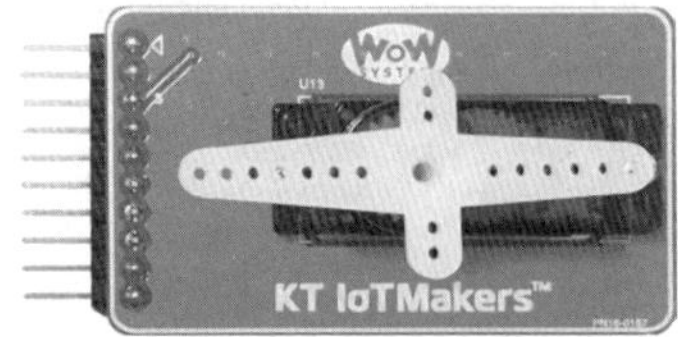

[그림 8-3] Servo 모터

8.1.3 회로도

Servo 모터 모듈은 3번 핀(IO3)에 Servo 모터의 제어 선이 연결되어 있으며, 모듈의 1번 핀과 10번 핀은 각각 VCC와 GND에 연결되어 있다.

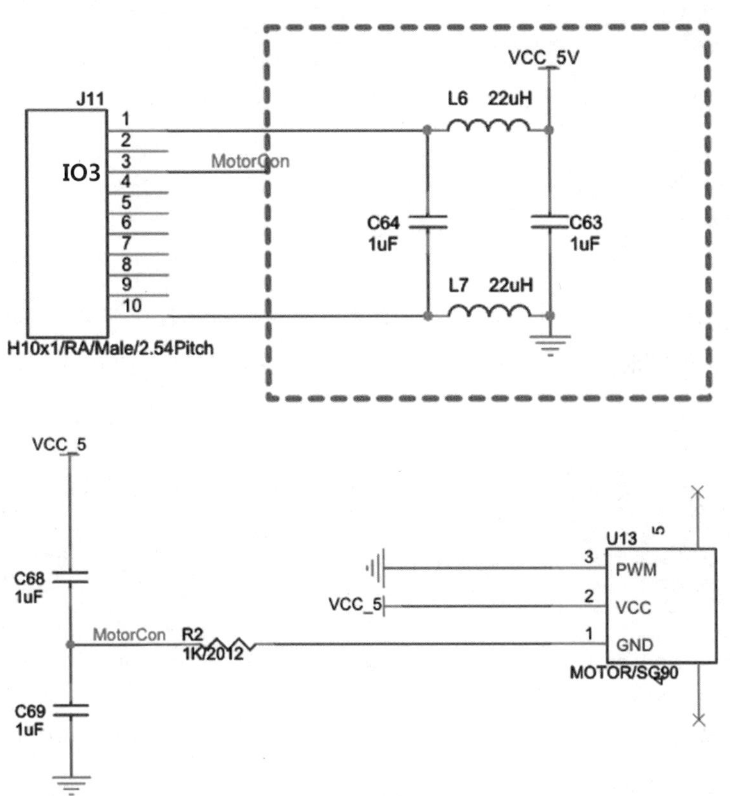

[그림 8-4] 서보 모터 모듈 회로도

8.2 개발 환경 구축

8.2.1 결선 방법

아래 그림과 같이 장비의 아래쪽에 모듈을 연결할 수 있는 컨넥터가 있다. 모듈을 연결 시 Starter Kit와 모듈의 연결 부분에 화살표가 마주 보는 상태로 연결되어야 한다.

만약 모듈을 뒤집어서 연결할 경우, VCC와 GND 전원 연결 핀이 반대로 연결되어 고장이 일어날 수 있으므로 뒤집어서 연결하지 않도록 주의한다.

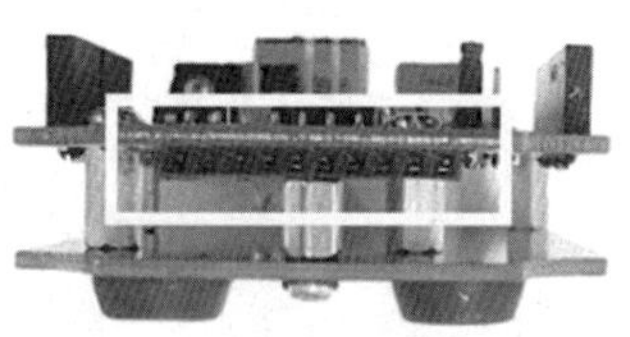

[그림 8-5] 모듈 컨넥터

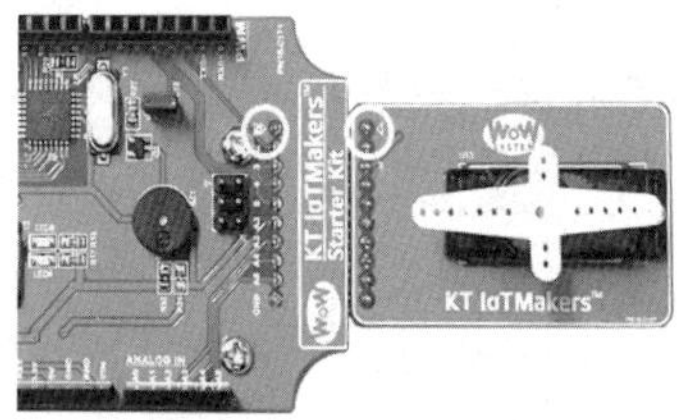

[그림 8-6] 모듈 연결 방법

8.2.2 펌웨어 설명

Servo 모터를 사용하기 위해 'Servo' 라이브러리를 펌웨어에 포함시킨다. Servo 모터를 제어할 객체를 선언하고 모터의 각도를 저장할 변수 'pos'를 선언하여 그 값을 0으로 초기화한다.

```
#include <Servo.h>

Servo myServo;
int pos = 0;
```

'setup()' 함수에서는 라이브러리의 'attach()' 함수로 Servo 모터를 초기화한다. 이때 Servo 모터가 연결되어 있는 3번 핀을 입력해 준다.

```
void setup()
{
 myServo.attach(3);
}
```

'loop()' 함수에서 2개의 for 문을 이용하여 Servo 모터를 동작시킨다. 첫 번째 for 문으로 Servo 모터를 시계방향으로 0°~180°까지 1°씩 정회전시키고, 두 번째 for 문으로 180°~0°까지 1°씩 역회전시킨다.

```
void loop()
{
 for(pos = 0; pos < 180; pos += 1)
 {
  myServo.write(pos);
  delay(15);
 }

 for(pos = 180; pos>=1; pos-=1)
 {
  myServo.write(pos);
  delay(15);
 }
}
```

8.3 펌웨어 연동 및 테스트

8.3.1 장비 결선 및 업로드

① PC와 Starter Kit를 USB Cable로 연결한다.

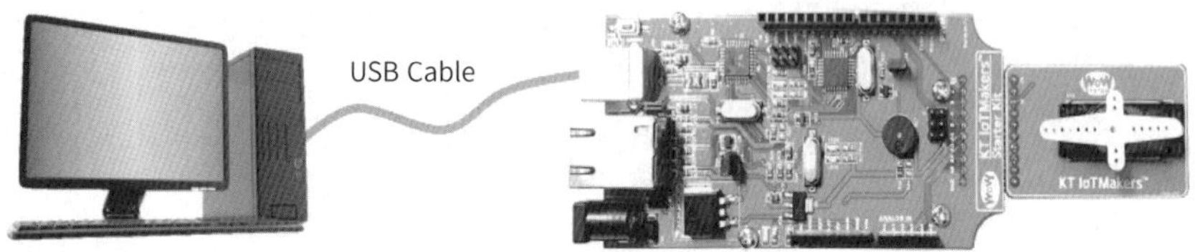

[그림 8-7] PC와 Starter Kit 연결

② '툴-보드'에서 'Arduino/Genuino Uno'를 선택한다.

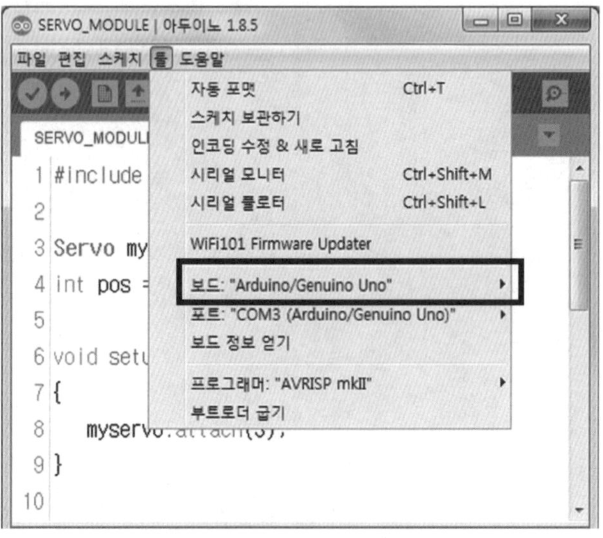

[그림 8-8] Arduino 보드 선택

③ USB로 연결된 장비의 해당 포트를 선택한다. (본 실습 환경에서 사용한 포트는 'COM3'이다.)

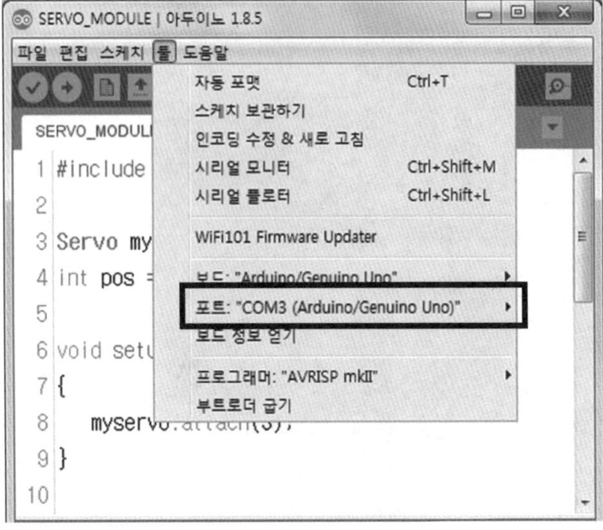

[그림 8-9] Arduino 포트 선택

④ '컴파일 및 업로드' 버튼을 선택한다.

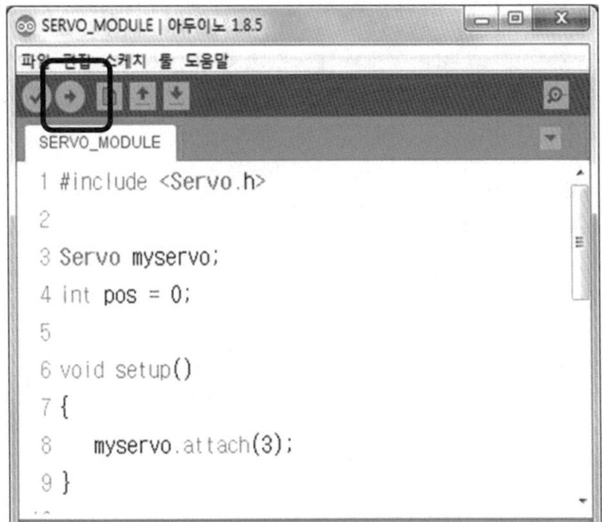

[그림 8-10] 컴파일 및 업로드

8.3.2 실행 결과

Servo 모터가 0°~180° 사이에서 반복적으로 움직이는 것을 확인할 수 있다.

[그림 8-11] 실행 결과

8.4 과제

1) Servo 모터가 45°~130° 범위 안에서 움직이도록 펌웨어를 작성한다.

2) Servo 모터의 각도 값이 시리얼 모니터에 표시되도록 펌웨어를 작성한다.

4차 산업혁명 요소 기술 아두이노를 이용한 IoT 디바이스 개발 실무

아두이노를 이용한 Buzzer 제어

PART 09 아두이노를 이용한 Buzzer 제어

실습 목표

- ▶ 부저의 구조와 동작 원리를 이해한다.
- ▶ 아두이노를 이용하여 Buzzer를 제어한다.

9.1 하드웨어 구성 확인하기

9.1.1 기초 이론

(1) 부저란?

부저는 몇 가지 종류가 있다. 그중 가장 많이 사용하는 부저는 피에조 부저(piezo Buzzer)라고 하는 것이다. 일반적으로 부저는 전압을 걸어주면 그에 따라 떨림이 발생하면서 그 원리로 소리가 발생한다. 하지만 피에조 부저에 압력을 주게 되면 전압이 발생하게 된다.

[그림] 9-1

피에조 부저는 다시 2가지 종류로 나누어진다. 일반적으로 피에조 부저에는 전압만 넣으면 아무 소리도 나지 않고 입력으로 주파수를 넣어주어서 떨림을 만들어 줘야 한다. 다른 하나는 주파수를 넣어주지 않아도 내부에 발진 회로가 들어가 있는 부저이다. 후자의 경우에는 전원만 넣어도 소리가 발생한다.

두 종류의 부저는 각각 장·단점이 있다. 주파수를 사용하는 부저는 원하는 음계의 소리를 낼 수가 있고 제어가 불편한 반면, 회로 내장형은 전원만 넣으면 소리가 나지만 원하는 음계를 표현하지 못한다.

(2) 주파수와 소리

주파수를 입력으로 주어서 원하는 음계를 만들 수 있는 부저에는 아래와 같은 음계와 주파수의 관계를 통해서 원하는 소리를 만들어 낼 수 있다.

주파수와 시간과의 공식을 이용하여 주파수를 생성한다.

$$t(s) = \frac{1}{f(Hz)}$$

[표 9-1] 옥타브 및 음계별 표준 주파수

(단위 : Hz)

음계 \ 옥타브	1	2	3	4	5	6	7	8
C(도)	32.7032	65.4064	130.8128	261.6256	523.2511	1046.502	2093.005	4186.009
C#	34.6478	60.2957	135.5913	277.1826	554.3653	1108.731	2217.461	4434.922
D(도)	35.7081	73.4162	146.8324	293.6648	587.3295	1174.659	2349.318	4698.636
D#	38.8909	77.7817	155.5635	311.1270	622.2540	1244.508	2489.016	4978.032
E(미)	41.2034	82.4069	164.8138	329.6276	659.2551	1318.510	2637.020	5274.041
F(파)	43.6535	87.3071	174.6141	349.2282	698.4565	1396.913	2793.826	5587.652
F#	46.2493	92.4986	184.9972	369.9944	739.9888	1479.978	2959.955	5919.911
G(솔)	48.9994	97.9989	195.9977	391.9954	783.9909	1567.982	3135.936	6271.927
G#	51.9130	103.8262	207.6523	415.3047	830.6094	1661.219	3322.438	6644.875
A(라)	55.0000	110.0000	220.0000	440.0000	880.0000	1760.000	3520.000	7040.000
A#	58.2705	116.5409	233.0819	466.1638	932.3275	1864.655	3729.310	7458.620
B(시)	61.7354	123.4708	246.9417	493.8833	987.7666	1975.533	3951.066	7902.133

자료 제공: 천안공업대학 윤덕용(http://control.cntc.ac.kr/cpu/)

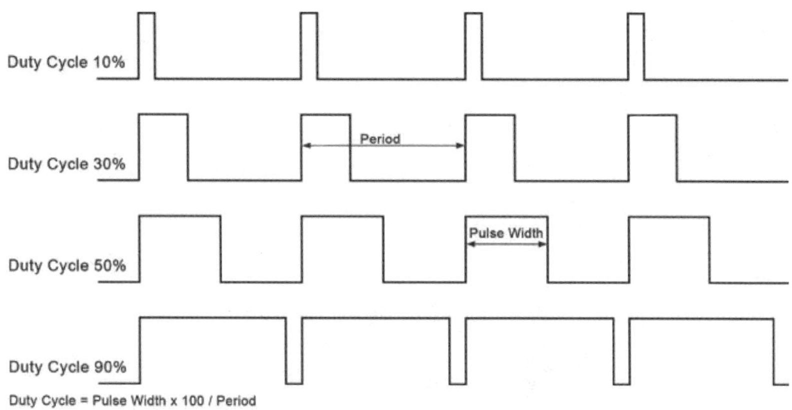

[출처] http://maduinos.blogspot.kr/2015/12/07multi-function-shield-Buzzer.html

[그림 9-2] PWM을 이용한 소리 출력

PWM을 통해서 Period의 간격을 원하는 대로 조절하여 부저에 넣어 주면 원하는 음계의 소리를 낼 수 있다.

9.1.2 회로도

회로도를 보면 Buzzer는 Starter Kit의 6번 핀(IO6)에 연결되어 있다.

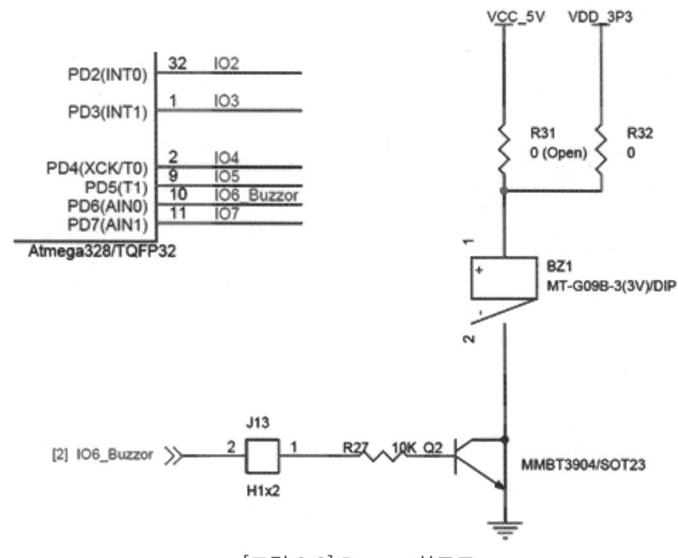

[그림 9-3] Buzzer 회로도

9.2 개발 환경 구축

9.2.1 결선 방법

Buzzer는 Starter Kit에 장착되어 있기 때문에 별도의 결선이 필요하지 않다.

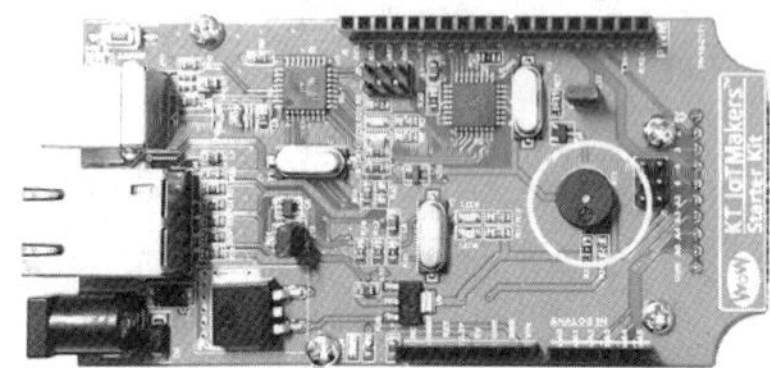

[그림 9-4] Buzzer 위치

9.2.2 펌웨어 설명

'Buzzer' 변수를 선언하고 Buzzer가 연결된 핀 번호 6을 입력한다.

```
int Buzzer = 6;
```

'setup()' 함수에서는 Buzzer 핀을 출력으로 설정한다.

```
void setup()
{
  pinMode(Buzzer, OUTPUT);
}
```

'loop()' 함수에서는 'tone()' 함수를 사용하여 부저의 Piezo 주파수를 1,000으로 1초간 동작시키고 'noTone()' 함수를 사용하여 부저의 동작을 멈춘다.

```
void loop()
{
 tone(Buzzer, 1000);
 delay(1000);
 noTone(Buzzer);
 delay(1000);
}
```

9.3 펌웨어 연동 및 테스트

9.3.1 장비 결선 및 업로드

① PC와 Starter Kit를 USB Cable로 연결한다.

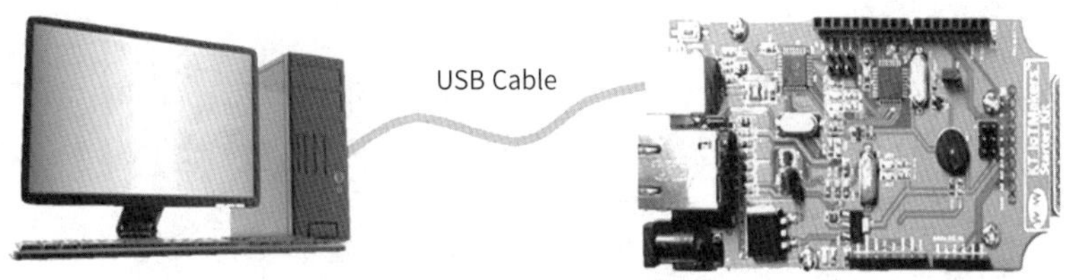

[그림 9-5] PC와 Starter Kit 연결

② '툴 - 보드'에서 'Arduino/Genuino Uno'를 선택한다.

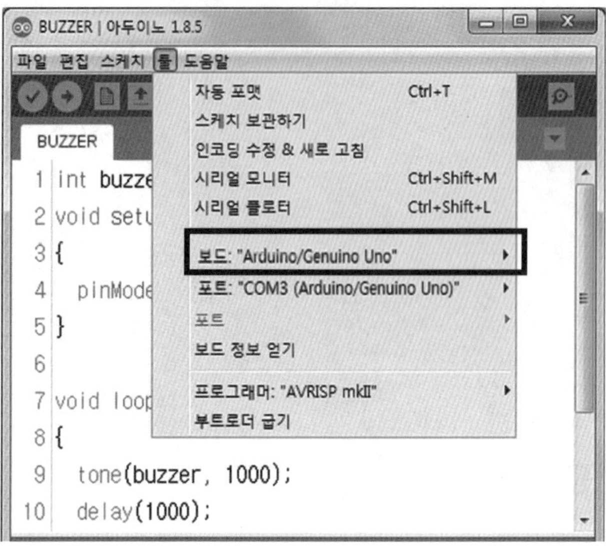

[그림 9-6] Arduino 보드 선택

③ USB로 연결된 장비의 해당 포트를 선택한다. (본 실습 환경에서 사용한 포트는 'COM3'이다.)

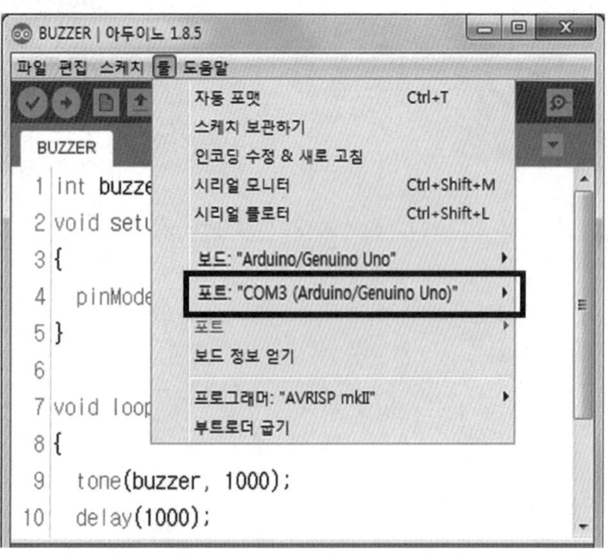

[그림 9-7] Arduino 포트 선택

④ '컴파일 및 업로드' 버튼을 선택한다.

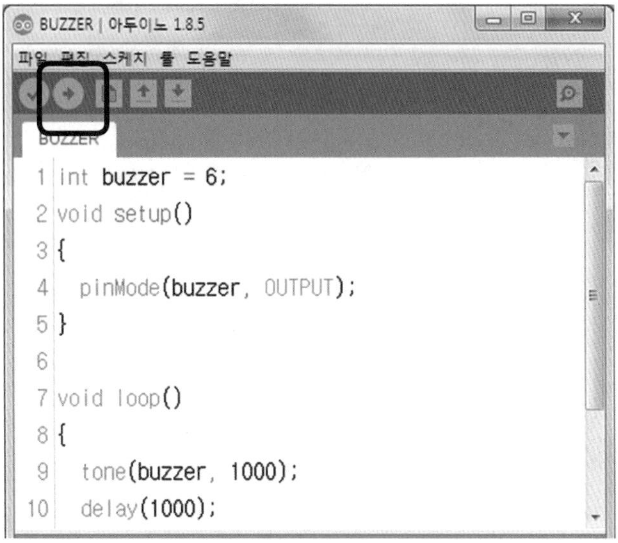
BUZZER | 아두이노 1.8.5
파일 편집 스케치 툴 도움말
BUZZER
1 int buzzer = 6;
2 void setup()
3 {
4   pinMode(buzzer, OUTPUT);
5 }
6
7 void loop()
8 {
9   tone(buzzer, 1000);
10   delay(1000);

[그림 9-8] 컴파일 및 업로드

9.3.2 실행 결과

부저가 1초 간격으로 ON/OFF 반복되는 것을 확인할 수 있다.

9.4 과제

1) 부저의 주파수를 800으로 조정하여 1초 간격으로 ON/OFF 되도록 펌웨어를 작성한다.
2) 시리얼 모니터를 사용하여 부저가 ON일 때 'Buzzer ON', OFF일 때 'Buzzer OFF'를 출력하도록 펌웨어를 작성한다.

2

유선으로 실습하는 IoT

SECTION 2

PART
10

4차 산업혁명 요소 기술 아두이노를 이용한 IoT 디바이스 개발 실무

유선으로 실습하는 IoT
- 조도센서 모듈 모니터링

PART 10

유선으로 실습하는 IoT - 조도센서 모듈 모니터링

실습 목표

- ▶ Ethernet 통신을 이용한 KT Platform의 접속 및 인증을 실행할 수 있다.
- ▶ 아두이노를 이용하여 조도센서 모듈의 센서값을 모니터링한다.

10.1 하드웨어 구성 확인하기

하드웨어 구성은 '아두이노를 이용한 조도센서 모듈 모니터링'과 동일하므로 생략한다.

10.2 개발 환경 구축

10.2.1 결선 방법 및 디바이스 생성

(1) 결선 방법

아래 그림과 같이 장비의 아래쪽에 모듈을 연결할 수 있는 컨넥터가 있다. 모듈을 연결 시 Starter Kit와 모듈의 연결 부분에 화살표가 마주 보는 상태로 연결되어야 한다. 만약 모듈을 뒤집어서 연결할 경우, VCC와 GND 전원 연결 핀이 반대로 연결되어 고장이 일어날 수 있으므로 뒤집어서 연결하지 않도록 주의한다.

[그림 10-1] 모듈 컨넥터

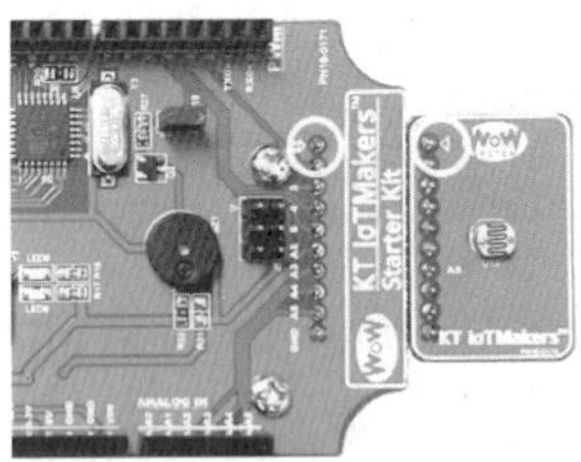

[그림 10-2] 모듈 연결 방법

(2) 디바이스 생성

① KT IoTMakers 플랫폼에서 'IoT 개발 〉 나의 디바이스'를 선택한다.

[그림 10-3] 나의 디바이스 선택

② 디바이스 생성을 위해 '디바이스 생성' 버튼을 눌러 준다. 처음 디바이스를 생성한 경우 아래와 같은 화면을 볼 수 있다.

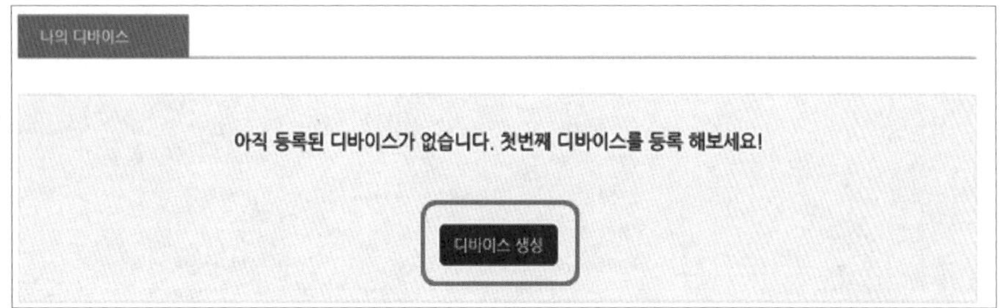

[그림 10-4] 디바이스 생성

③ 디바이스 명은 'KIT LIGHT E'로 입력하고 디바이스 아이디와 패스워드는 기본으로 주어지는 값을 사용한다. 만약 변경을 원할 경우에는 '수정' 버튼을 선택하여 변경할 수 있다. 프로토콜 유형은 'KT Standard I/F의 TCP' 통신 프로토콜을 사용한다.

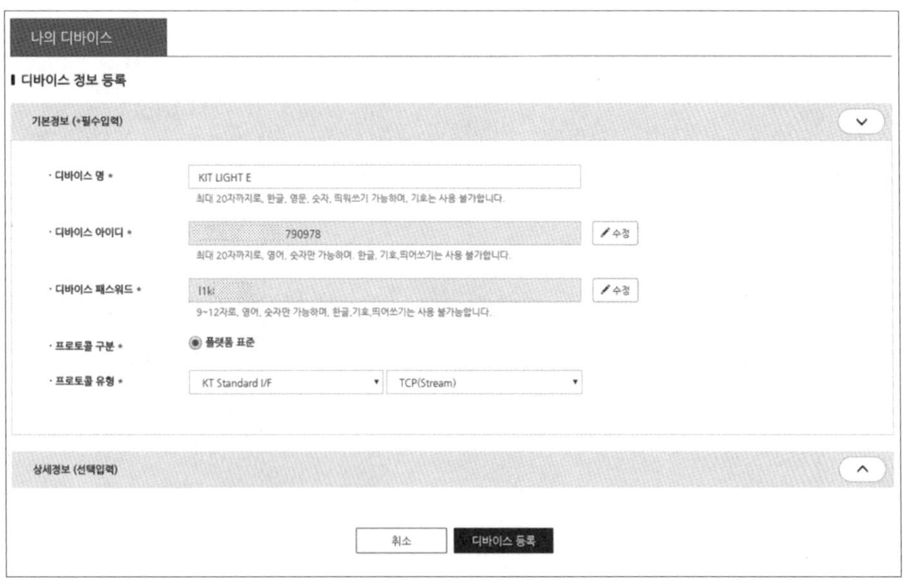

[그림 10-5] 디바이스 정보 등록

④ 생성된 디바이스를 선택하면 디바이스에 대한 상세 정보를 확인할 수 있다.

[그림 10-6] 디바이스 정보 확인

10.2.2 펌웨어 설명

Ethernet 통신을 사용하기 위해 'Ethernet'와 'SPI' 라이브러리 그리고 Ethernet 통신의 Starter Kit를 위한 'IoTStarterKit_Eth' 라이브러리를 추가한다.

```
#include <Ethernet.h>
#include <SPI.h>
#include <IoTStarterKit_Eth.h>
```

KT IoTMakers와 연결을 위해 사용자의 등록 정보를 입력한다.

- deviceID ⇒ KT IoTMakers 플랫폼에서 사용자가 생성한 디바이스 아이디를 입력
- authnRqtNo ⇒ KT IoTMakers 플랫폼에서 생성된 디바이스 패스워드를 입력
- extrSysID ⇒ KT IoTMakers 플랫폼에서 생성된 Gateway 연결 ID를 입력

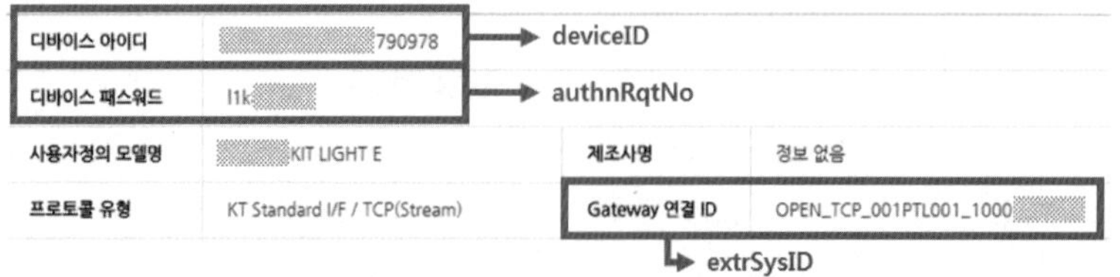

[그림 10-7] 사용자의 등록 정보

```
/* IoTMakers */
IoTStarterKit_Eth g_im;

// 사용자의 정보 입력
#define deviceID    "**************790978"
#define authnRqtNo "l1k******"
#define extrSysID  "OPEN_TCP_001PTL001_1000******"
```

IoT Starter Kit 뒷면에는 개별 MAC Address가 기록되어 있다. Ethernet 통신을 사용하기 위해 뒷면에 기록된 MAC Address를 입력한다. (본 예시의 MAC Address는 아래와 같으며, 장비마다 모두 다른 MAC Address를 갖는다.)

[그림 10-8] MAC Address

```
/* Ethernet */
EthernetClient client;

const char mac[] = { 0x70, 0xB3, 0xD5, 0x6A, 0x60, 0x18 }; //Mac Address
```

조도센서가 연결되어 있는 핀과 KT IoTMakers 플랫폼에서 사용할 TAG ID를 정의한다. 모듈의 CDS 센서 핀은 A3번에 연결되어 있으며, TAG ID는 'Light'로 정의한다.

```
/* Arduino */
#define LIGHT A3
#define TAG_ID "Light"
```

'init_iotmakers()' 함수는 KT IoTMakers 플랫폼 접속을 위한 과정이다. IoT 실습을 위해서는 첫 번째로 인터넷에 연결하고, 두 번째로 KT IoTMakers 플랫폼에 연결 후 마지막으로 플랫폼으로부터 인증을 받아야 한다.

첫 번째 단계인 인터넷 연결을 위해 시리얼 모니터에 "Begin the Ethernet..."을 출력하고 MAC Address 값을 이용하여 Ethernet을 시작한다. 이때 한 번에 접속이 안 될 수 있기 때문에 접속 시도를 5회 정도 반복한다. 접속에 성공하면 시리얼 모니터에 "success"를 출력하고 실패하면 "fail"을 출력한다.

```
void init_iotmakers()
{
  int tryCount = 0;        //각 접속 시도 횟수를 저장하는 변수

  while(1)
  {
    // Ethernet 접속 시도
    Serial.print("Begin the Ethernet...");
    tryCount = 0;
    while( (Ethernet.begin(mac) == 0) && tryCount < 5 )
    {
      Serial.println(F("retrying."));
      delay(2000);
      tryCount++;
    }
    if(tryCount < 5)
    {
      Serial.println("success");
    }
    else
    {
      Serial.println("fail");
      continue;
    }
```

인터넷에 연결되면 KT IoTMakers 디바이스 등록 정보(deviceID, authnRqtNo, extrSysID)로 연결을 초기화한다.

두 번째 단계인 KT IoTMakers 플랫폼에 연결을 위해 시리얼 모니터에 “Connect to Platform...”을 출력한다. 이때 앞에서와 마찬가지로 연결이 실패할 수 있기 때문에 5회 정도 반복하여 연결을 시도한다. 연결이 성공하면 시리얼 모니터에 “success”를 출력하고 실패하면 “fail”을 출력한다.

```
// 인자값으로 받은 정보로 KT IoT Makers 접속
g_im.init(deviceID, authnRqtNo, extrSysID, client);

// IoTMakers 플랫폼 연결
Serial.print("Connect to Platform... ");
tryCount = 0;
while ( (g_im.connect() < 0) && tryCount < 5 ){
  Serial.println("retrying.");
  delay(1000);
  tryCount++;
}
if(tryCount < 5)
{
  Serial.println("success");
}
else
{
  Serial.println("fail");
  continue;
}
```

마지막 단계인 KT IoTMakers 플랫폼에 디바이스 인증을 받기 위해 시리얼 모니터에 “Auth...”를 출력한다. 앞에서 사용자가 입력한 디바이스 아이디(deviceID), 디바이스 패스워드(authnRqtNo), Gateway 연결ID(extrSysID)를 플랫폼에 넘겨 준다. 인증에 성공하면 “success”를 출력하고 실패하면 “fail”을 시리얼 모니터에 출력한다.

```
    //IoTMakers 플랫폼 인증
    Serial.print("Auth... ");
    if(g_im.auth_device() >= 0)
    {
      Serial.println("success ");
      return;
    }
    Serial.println("fail");
  }
}
```

'setup()' 함수에서는 시리얼 모니터를 사용하기 위해 통신 속도를 9600으로 설정 후 초기화한다. CDS 센서가 연결된 핀을 입력으로 설정한다. 마지막으로 IoT Starter Kit와 IoTMakers 플랫폼을 초기화한다.

```
void setup()
{
  Serial.begin(9600);

  pinMode(LIGHT, INPUT);

  init_iotmakers();
}
```

'loop()' 함수에서는 1초 단위로 'send_light()' 함수를 호출하여 센서 값을 확인하고, 'g_im.loop()' 함수를 반복적으로 호출하여 IoTMakers 플랫폼으로부터 전송된 데이터가 있는지 확인한다.

```
void loop()
{
  static unsigned long tick = millis();

  // 센서값을 읽어 오는 시간 설정
  if ( ( millis() - tick) > 1000 )
  {
    send_light();
    tick = millis();
  }

  // IoTMakers 서버 수신 처리 및 keepalive 송신
  g_im.loop();
}
```

'send_light()' 함수는 조도센서의 값을 측정하는 함수이다. 'analogRead()' 함수를 이용하여 조도센서의 값을 읽어와 변수 'value'에 저장한 후 'map()' 함수를 사용하여 값의 출력 범위를 재설정한다. 'map()' 함수를 사용한 이유는 'value'에 저장된 조도센서값이 밝을 때 낮아지고, 어두울 때 높아지기 때문이다. 이를 위해 기존의 범위 0~1023의 값을 1023~0으로 재설정한다. ('map()' 함수 안에 들어가는 내용을 순차적으로 나열하면 범위를 변경할 변수명, 이전 범위의 최솟값, 최댓값, 새로 변경할 범위의 최솟값, 최댓값 순서이다)

시리얼 모니터에 센서값을 출력하고, IoTMakers에 등록한 Tag ID 값에 'send_numdata()' 함수를 이용하여 숫자형 수집 데이터를 전송한다. 이때 펌웨어에서 작성한 Tag ID 값과 IoTMakers에 등록한 Tag Stream ID 값이 같아야 한다.

```
int send_light()
{
  int value = analogRead(LIGHT);
  int data = map(value, 0, 1023, 1023, 0);

  Serial.print("Light : ");
  Serial.println(data);

  if ( g_im.send_numdata(TAG_ID, (double)data) < 0 ) {
     Serial.println(F("fail"));
    return -1;
  }
  return 0;
}
```

10.3 펌웨어 연동 및 테스트

10.3.1 장비 결선 및 업로드

(1) 태그 스트림 생성

① '태그 스트림 생성' 버튼을 눌러 태그 스트림을 생성한다.

[그림 10-9] 태그 스트림 생성

② 실습에 사용할 조도센서 모듈의 태그 스트림을 생성한다. Tag Stream ID는 'Light', Tag Stream Type은 '수집', Value는 '숫자 형식'으로 설정 후 '생성' 버튼을 선택한다.

[그림 10-10] 태그 스트림 생성 조건

③ 태그 스트림 생성이 완료되면 태그 스트림 목록에 등록한 Tag Stream ID가 나타난다.

[그림 10-11] 태그 스트림 목록

(2) 장비 결선 및 펌웨어 업로드

① Starter Kit를 PC와 USB Cable로 연결하고, 공유기와 Ethernet Cable로 연결한다.

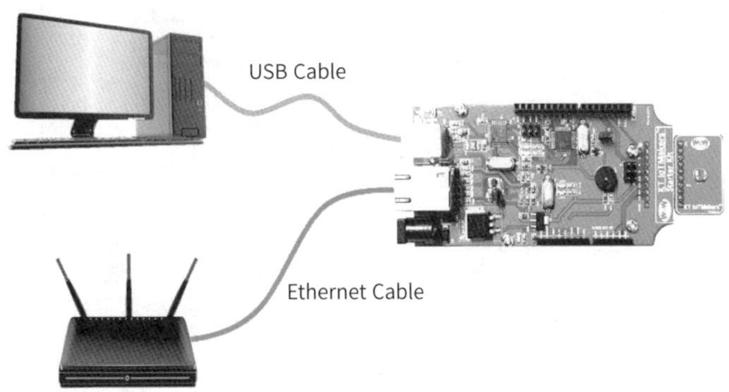

[그림 10-12] PC와 Starter KiT 연결

② '툴-보드'에서 'Arduino/Genuino Uno'를 선택한다.

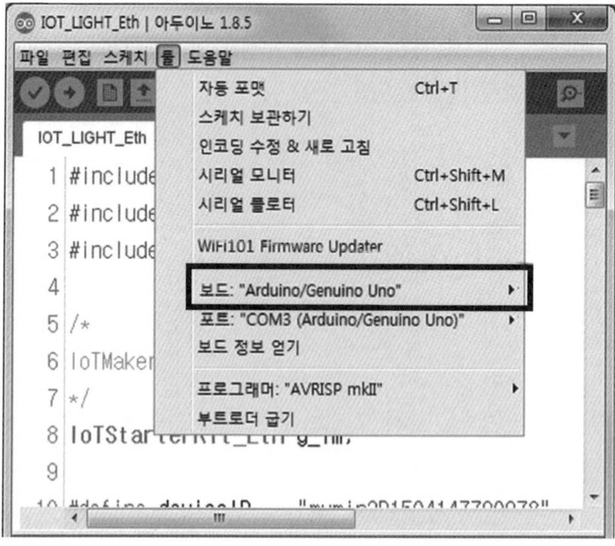

[그림 10-13] Arduino 보드 선택

③ USB로 연결된 장비의 해당 포트를 선택한다. (본 실습 환경에서 사용한 포트는 'COM3'이다.)

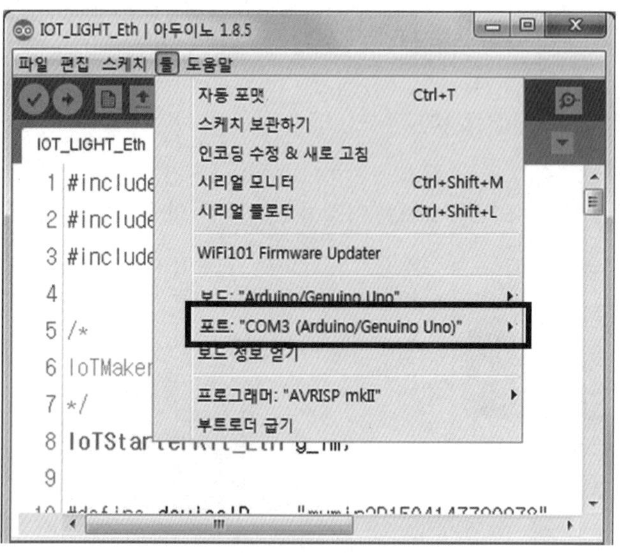

[그림 10-14] Arduino 포트 선택

④ '컴파일 및 업로드' 버튼을 선택한다.

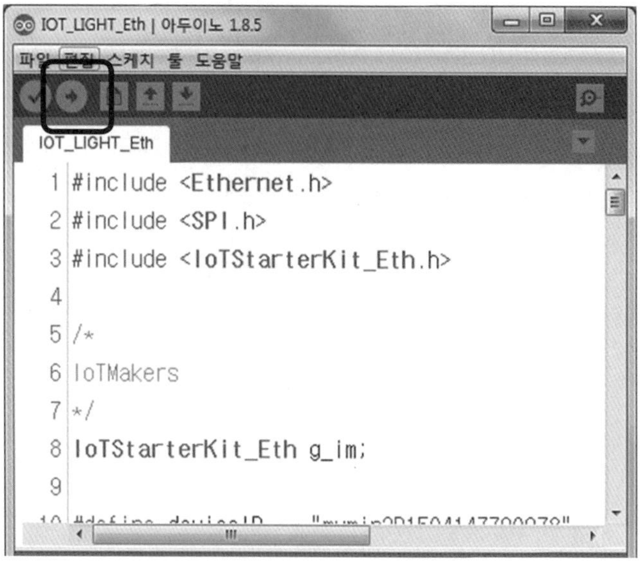

IOT_LIGHT_Eth | 아두이노 1.8.5
파일 편집 스케치 툴 도움말
IOT_LIGHT_Eth
1 #include <Ethernet.h>
2 #include <SPI.h>
3 #include <IoTStarterKit_Eth.h>
4
5 /*
6 IoTMakers
7 */
8 IoTStarterKit_Eth g_im;
9

[그림 10-15] 컴파일 및 업로드

⑤ 시리얼 모니터를 실행한다.

IOT_LIGHT_Eth | 아두이노 1.8.5
파일 편집 스케치 툴 도움말
IOT_LIGHT_Eth
1 #include <Ethernet.h>
2 #include <SPI.h>
3 #include <IoTStarterKit_Eth.h>
4
5 /*
6 IoTMakers
7 */
8 IoTStarterKit_Eth g_im;
9

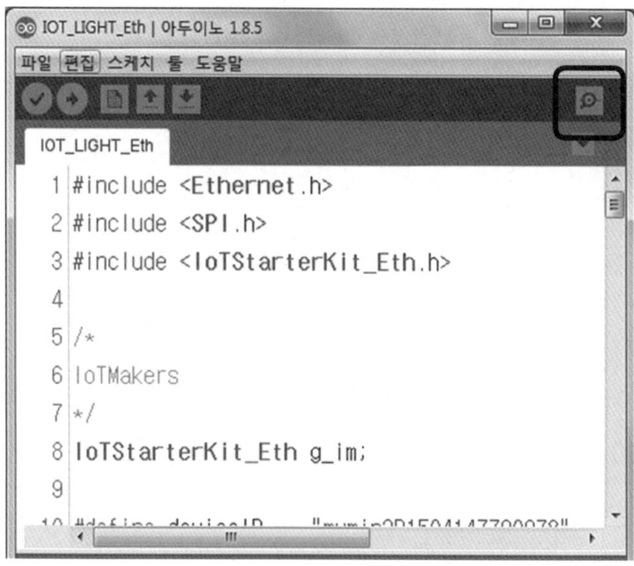

[그림 10-16] 시리얼 모니터 실행

10.3.2 실행 결과

① 시리얼 모니터를 통하여 IoTMakers 플랫폼에 연결되는 과정을 확인할 수 있다.

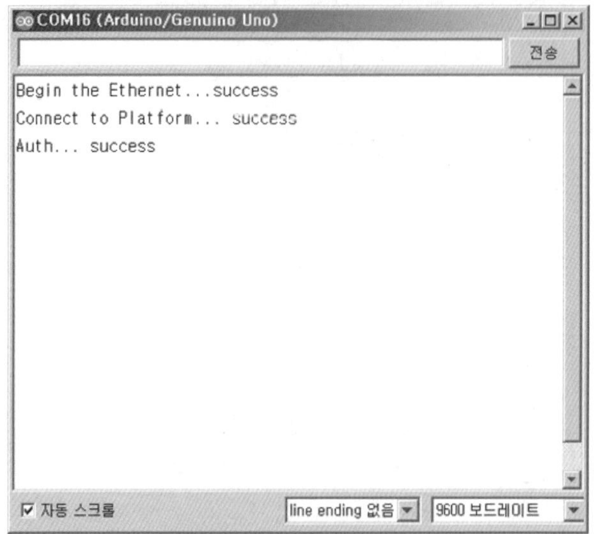

[그림 10-17] 연결 상태 확인

② 디바이스와 연결이 성공하면 IoTMakers의 디바이스 연결 상태가 'ON'으로 변경되는 것을 확인할 수 있다.

[그림 10-18] 디바이스 상태 변경

③ 앞에서 생성한 태그 스트림 목록에서 'Light'를 선택하면 CDS 센서로부터 읽어 온 센서값이 출력되는 것을 확인할 수 있다.

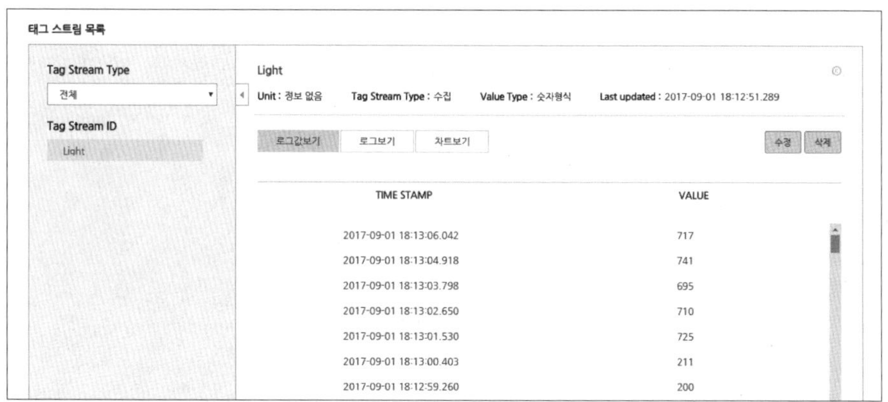

[그림 10-19] 센서값 모니터링

④ 시리얼 모니터에도 조도센서값이 함께 출력되는 것을 확인할 수 있다.

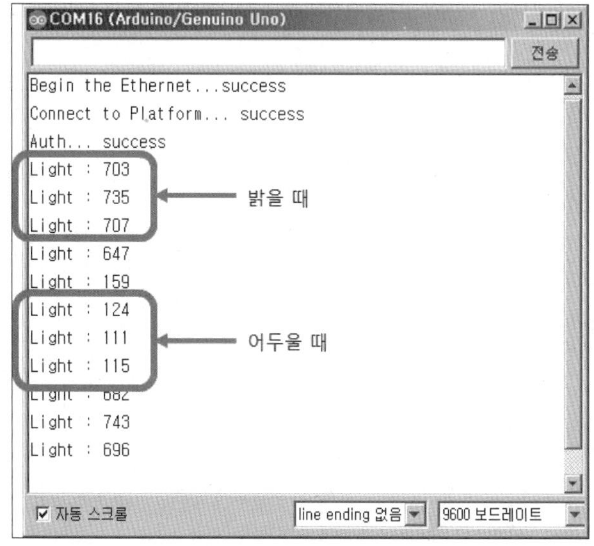

[그림 10-20] 조도센서값 출력

10.4 과제

1) 조도센서의 값이 0~500 사이에서 출력되도록 펌웨어를 작성한다.
2) KT Platform 플랫폼에서 TagStream ID를 'LIGHT'로 생성하였을 때 센서값이 출력되도록 펌웨어를 작성한다.

PART
11

4차 산업혁명 요소 기술 아두이노를 이용한 IoT 디바이스 개발 실무

유선으로 실습하는 IoT
– 온도센서 모듈 모니터링

PART 11 유선으로 실습하는 IoT - 온도센서 모듈 모니터링

실습 목표

- ▶ Ethernet 통신을 이용한 KT Platform의 접속 및 인증을 실행할 수 있다.
- ▶ IoTMakers를 이용하여 온도센서 모듈의 센서값을 모니터링 할 수 있다.

11.1 하드웨어 구성 확인하기

하드웨어 구성은 '아두이노를 이용한 온도센서 모듈 모니터링'과 동일하므로 생략한다.

11.2 개발 환경 구축

11.2.1 결선 방법 및 디바이스 생성

(1) 결선 방법

아래 그림과 같이 장비의 아래쪽에 모듈을 연결할 수 있는 컨넥터가 있다. 모듈을 연결 시 Starter Kit와 모듈의 연결 부분에 화살표가 마주 보는 상태로 연결되어야 한다.

[그림 11-1] 모듈 컨넥터

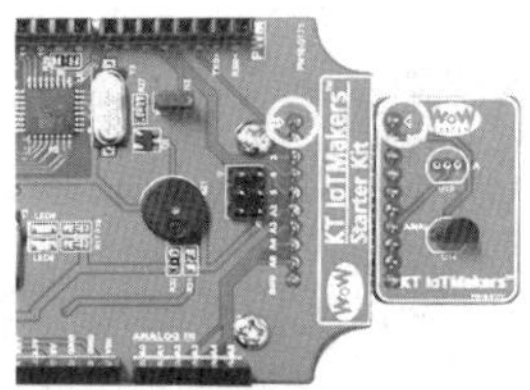

[그림 11-2] 모듈 연결 방법

만약 모듈을 뒤집어서 연결할 경우, VCC와 GND 전원 연결 핀이 반대로 연결되어 고장이 일어날 수 있으므로 뒤집어서 연결하지 않도록 주의한다.

(2) 디바이스 생성

① KT IoTMakers 플랫폼에서 'IoT 개발 〉 나의 디바이스'를 선택한다.

[그림 11-3] 나의 디바이스 선택

② 디바이스 생성을 위해 '디바이스 생성' 버튼을 눌러 준다. 처음 디바이스를 생성한 경우 아래와 같은 화면을 볼 수 있다.

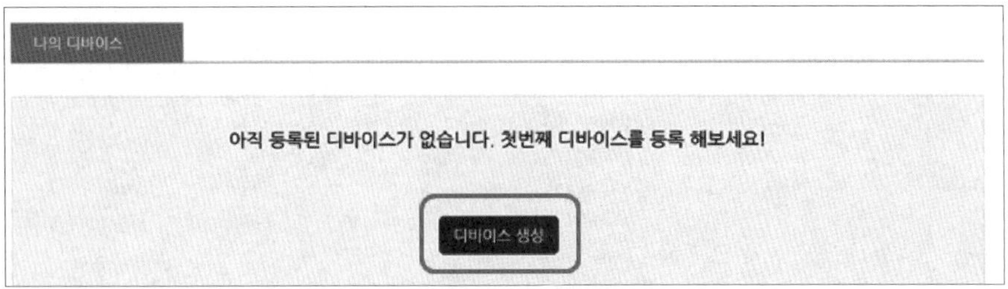

[그림 11-4] 디바이스 생성

③ 디바이스 명은 'KIT TEMP E'로 입력하고 디바이스 아이디와 패스워드는 기본으로 주어지는 값을 사용한다. 만약 변경을 원할 경우에는 '수정' 버튼을 선택하여 변경할 수 있다. 프로토콜 유형은 'KT Standard I/F의 'TCP' 통신 프로토콜을 사용한다.

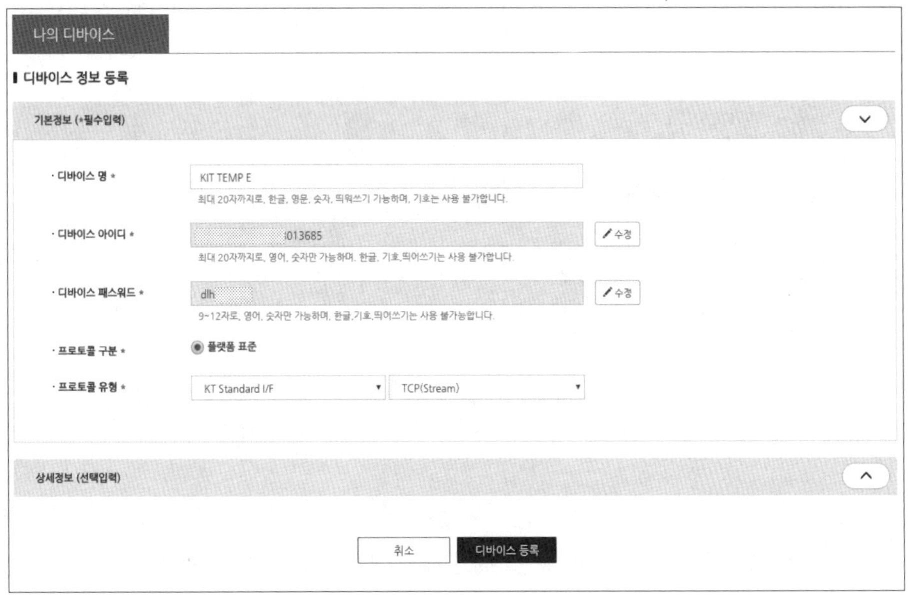

[그림 11-5] 디바이스 정보 등록

④ 생성된 디바이스를 선택하면 디바이스에 대한 상세 정보를 확인할 수 있다.

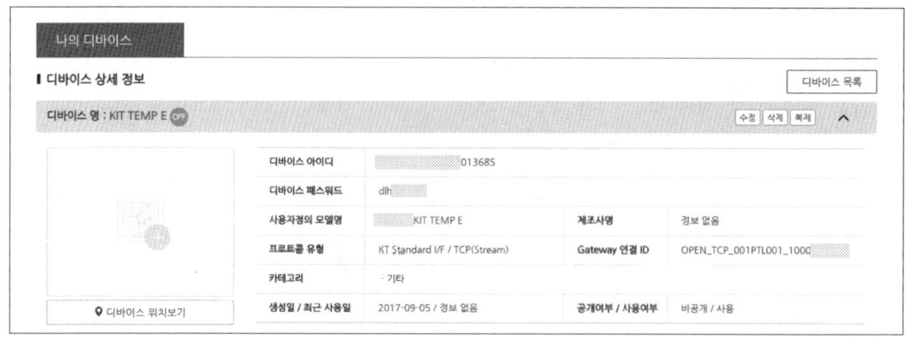

[그림 11-6] 디바이스 정보 확인

11.2.2 펌웨어 설명

Ethernet 통신을 사용하기 위해 'Ethernet'와 'SPI' 라이브러리 그리고 Ethernet 통신의 Starter Kit를 위한 'IoTStarterKit_Eth' 라이브러리를 추가한다. 또한, 디지털 온도센서를 사용하기 위하여 'OneWire', 'DallasTemperature' 라이브러리를 추가로 정의한다.

```
#include <Ethernet.h>
#include <SPI.h>
#include <IoTStarterKit_Eth.h>
#include <OneWire.h>
#include <DallasTemperature.h>
```

KT IoTMakers와 연결을 위해 사용자의 등록 정보를 입력한다.

- deviceID ⇒ KT IoTMakers 플랫폼에서 사용자가 생성한 디바이스 아이디를 입력
- authnRqtNo ⇒ KT IoTMakers 플랫폼에서 생성된 디바이스 패스워드를 입력
- extrSysID ⇒ KT IoTMakers 플랫폼에서 생성된 Gateway 연결 ID를 입력

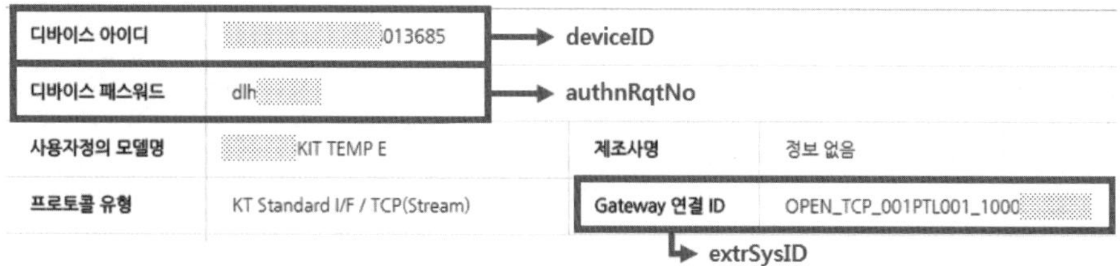

[그림 11-7] 사용자의 등록 정보

```
/* IoTMakers */
IoTStarterKit_Eth g_im;

// 사용자의 정보 입력
#define deviceID    "**************013685"
#define authnRqtNo "dlh******"
#define extrSysID  "OPEN_TCP_001PTL001_1000******"
```

IoT Starter Kit 뒷면에는 개별 MAC Address가 기록되어 있다. Ethernet 통신을 사용하기 위해 뒷면에 기록된 MAC Address를 입력한다. (본 예시의 MAC Address는 아래와 같으며, 각 장비마다 모두 다른 MAC Address를 갖는다.)

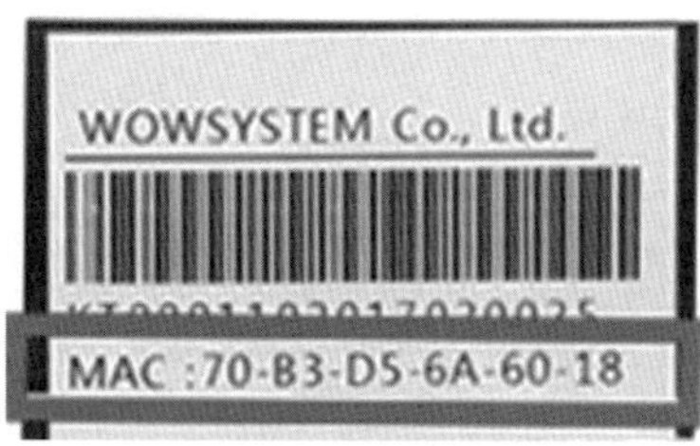

[그림 11-8] MAC Address

```
/* Ethernet */
EthernetClient client;

const char mac[] = { 0x70, 0xB3, 0xD5, 0x6A, 0x60, 0x18 }; //Mac Address
```

온도센서가 연결되어 있는 핀과 KT IoTMakers 플랫폼에서 사용할 TAG ID를 정의한다. 모듈의 DS18 센서 핀은 2번에 연결되어 있으며, TAG ID는 'Temperature'로 정의한다. 또한, OneWire와 DallasTemperature 라이브러리의 객체를 각각 선언하고 사용할 수 있도록 연결한다.

```
/* Arduino */
#define ONE_WIRE_BUS 2
#define TAG_ID "Temperature"

OneWire ourWire(ONE_WIRE_BUS);
DallasTemperature sensors(&ourWire);
```

'init_iotmakers()' 함수는 KT IoTMakers 플랫폼 접속을 위한 과정이다. IoT 실습을 위해서는 첫 번째로 인터넷에 연결하고, 두 번째로 KT IoTMakers 플랫폼에 연결 후 마지막으로 플랫폼으로부터 인증을 받아야 한다.

첫 번째 단계인 인터넷 연결을 위해 시리얼 모니터에 "Begin the Ethernet..."을 출력하고 MAC Address 값을 이용하여 Ethernet을 시작한다. 이때 한 번에 접속이 안 될 수 있기 때문에 접속 시도를 5회 정도 반복한다. 접속에 성공하면 시리얼 모니터에 "success"를 출력하고 실패하면 "fail"을 출력한다.

```
void init_iotmakers()
{
  int tryCount = 0; //각 접속 시도 횟수를 저장하는 변수

  while(1)
  {
    // Ethernet 접속 시도
    Serial.print("Begin the Ethernet...");
    tryCount = 0;
    while( (Ethernet.begin(mac) == 0) && tryCount < 5 )
    {
      Serial.println(F("retrying."));
      delay(2000);
      tryCount++;
    }
    if(tryCount < 5)
    {
      Serial.println("success");
    }
else
    {
      Serial.println("fail");
      continue;
    }
```

인터넷에 연결되면 KT IoTMakers 디바이스 등록 정보(deviceID, authnRqtNo, extrSysID)로 연결을 초기화한다.

두 번째 단계인 KT IoTMakers 플랫폼에 연결을 위해 시리얼 모니터에 "Connect to Platform..."을 출력한다. 이때 앞에서와 마찬가지로 연결이 실패할 수 있기 때문에 5회 정도 반복하여 연결을 시도한다. 연결이 성공하면 시리얼 모니터에 "success"를 출력하고 실패하면 "fail"을 출력한다.

```
// 인자값으로 받은 정보로 KT IoT Makers 접속
g_im.init(deviceID, authnRqtNo, extrSysID, client);

// IoTMakers 플랫폼 연결
Serial.print("Connect to Platform... ");
tryCount = 0;
while ( (g_im.connect() < 0) && tryCount < 5 ){
  Serial.println("retrying.");
  delay(1000);
  tryCount++;
}
if(tryCount < 5)
{
  Serial.println("success");
}
else
{
  Serial.println("fail");
  continue;
}
```

마지막 단계인 KT IoTMakers 플랫폼에 디바이스 인증을 받기 위해 시리얼 모니터에 "Auth..."를 출력한다. 앞에서 사용자가 입력한 디바이스 아이디(deviceID), 디바이스 패스워드(authnRqtNo), Gateway 연결ID(extrSysID)를 플랫폼에 넘겨준다. 인증에 성공하면 "success"를 출력하고 실패하면 "fail"을 시리얼 모니터에 출력한다.

```
    //IoTMakers 플랫폼 인증
    Serial.print("Auth... ");
    if(g_im.auth_device() >= 0)
    {
      Serial.println("success ");
      return;
    }
    Serial.println("fail");
  }
}
```

'setup()' 함수에서는 시리얼 모니터를 사용하기 위해 통신 속도를 9600으로 설정 후 초기화한다. DS18 센서가 연결된 핀을 입력으로 설정한다. 마지막으로 IoT Starter Kit와 IoTMakers 플랫폼을 초기화한다.

```
void setup()
{
  Serial.begin(9600);

  sensors.begin();

  init_iotmakers();
}
```

'loop()' 함수에서는 1초 단위로 'send_temperature()' 함수를 호출하여 센서값을 확인하고, 'g_im.loop()' 함수를 반복적으로 호출하여 IoTMakers 플랫폼으로부터 전송된 데이터가 있는지 확인한다.

```
void loop()
{
 static unsigned long tick = millis();

 if ( ( millis() - tick) > 1000 )
 {
  send_temperature();
  tick = millis();
 }
 // IoTMakers 플랫폼 수신처리 및 keepalive 송신
 g_im.loop();
}
```

'send_temperature()'함수는 온도센서의 값을 측정하는 함수이다. 'sensors.requestTemperatures()' 함수를 이용하여 온도센서의 값을 읽어 온다. 그리고 섭씨의 값을 출력하는 'getTempCByIndex()' 함수로 섭씨로 변환한 후 'data' 변수에 저장한다.

시리얼 모니터에 센서값을 출력하고, IoTMakers에 등록한 Tag ID 값에 'send_numdata()' 함수를 이용하여 숫자형 수집 데이터를 전송한다. 이때 펌웨어에서 작성한 Tag ID 값과 IoTMakers에 등록한 Tag Stream ID 값이 같아야 한다.

```
int send_temperature()
{
 // 센서값을 읽어온다.
 sensors.requestTemperatures();
 int data = sensors.getTempCByIndex(0);

 Serial.print("Temperature: ");
 Serial.print(data);
 Serial.println(" Celsius");

 if ( g_im.send_numdata(TAG_ID, (double)data) < 0 ) {
  Serial.println(F("fail"));
  return -1;
 }
 return 0;
}
```

11.3 펌웨어 연동 및 테스트

11.3.1 장비 결선 및 업로드

(1) 태그 스트림 생성

① '태그 스트림 생성' 버튼을 눌러 태그 스트림을 생성한다.

[그림 11-9] 태그 스트림 생성

② 실습에 사용할 온도센서 모듈의 태그 스트림을 생성한다. Tag Stream ID는 'Temperature', Tag Stream Type은 '수집', Value는 '숫자 형식'으로 설정 후 '생성' 버튼을 선택한다.

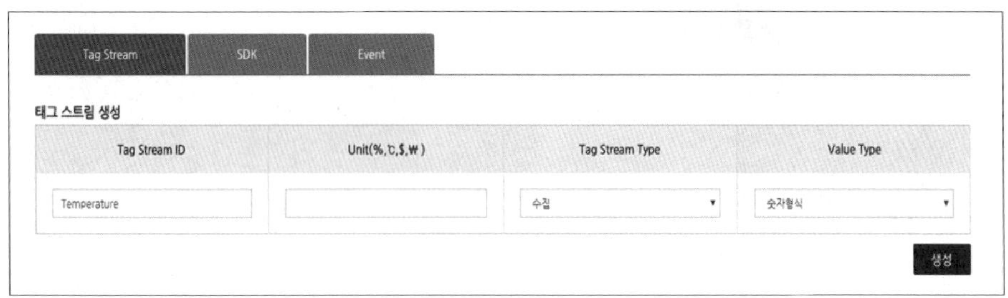

[그림 11-10] 태그 스트림 생성 조건

③ 태그 스트림 생성이 완료되면 태그 스트림 목록에 등록한 Tag Stream ID가 나타난다.

[그림 11-11] 태그 스트림 목록

(2) 장비 결선 및 펌웨어 업로드

① Starter Kit를 PC와 USB Cable로 연결하고, 공유기와 Ethernet Cable로 연결한다.

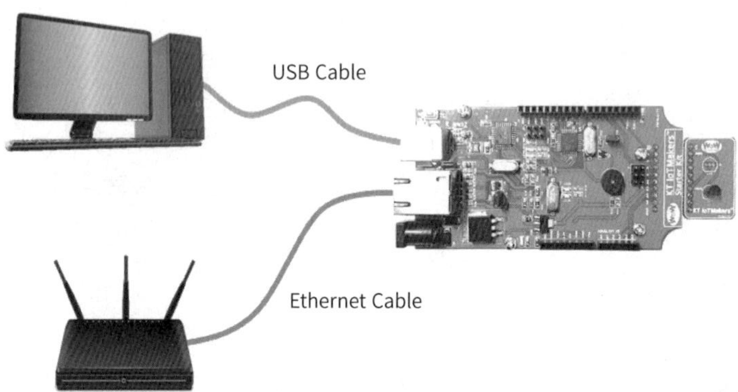

[그림 11-12] PC와 Starter KiT 연결

② '툴-보드'에서 'Arduino/Genuino Uno'를 선택한다.

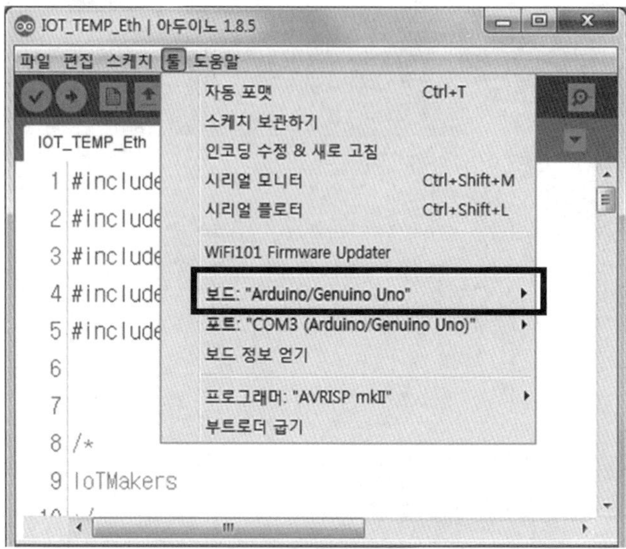

[그림 11-13] Arduino 보드 선택

③ USB로 연결된 장비의 해당 포트를 선택한다. (본 실습 환경에서 사용한 포트는 'COM3'이다.)

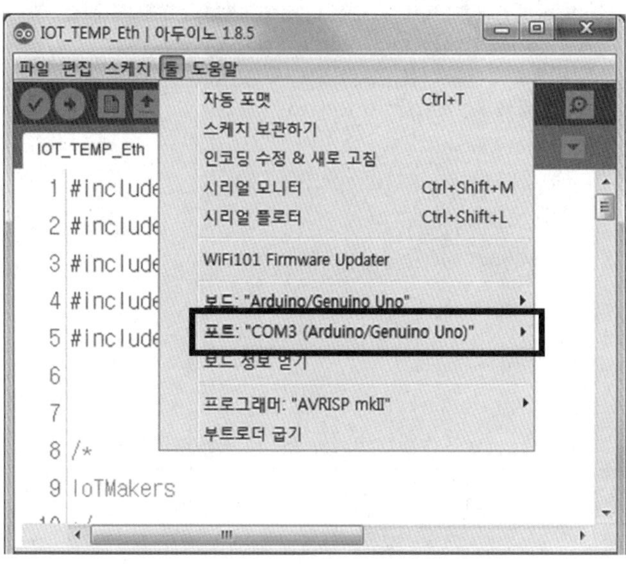

[그림 11-14] Arduino 포트 선택

④ '컴파일 및 업로드' 버튼을 선택한다.

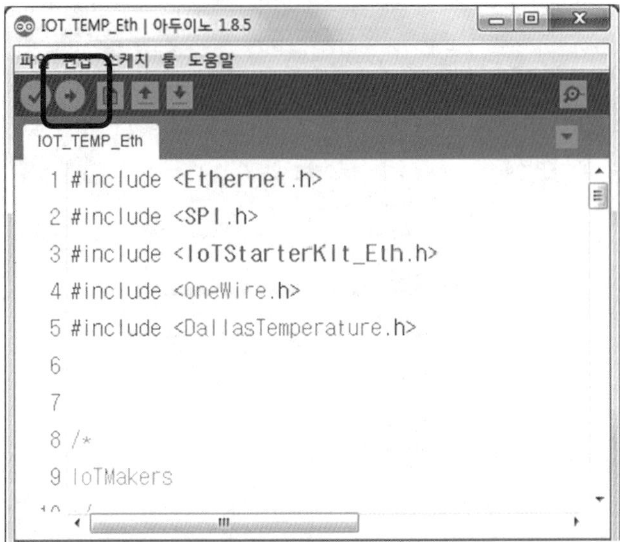

[그림 11-15] 컴파일 및 업로드

⑤ 시리얼 모니터를 실행한다.

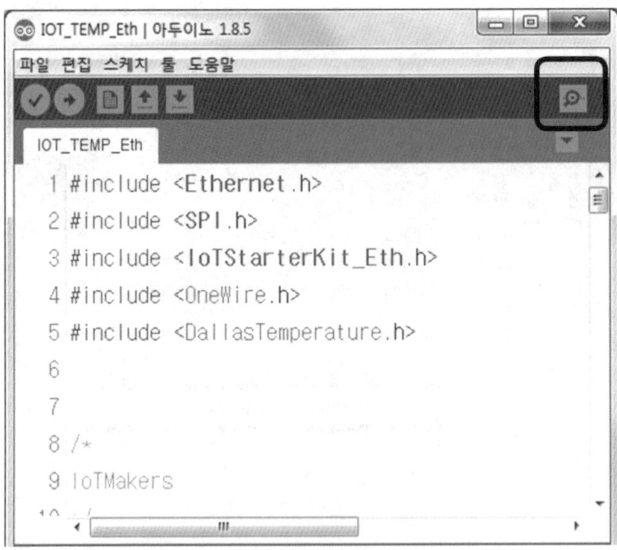

[그림 11-16] 시리얼 모니터 실행

11.3.2 실행 결과

① 시리얼 모니터를 통하여 IoTMakers 플랫폼에 연결되는 과정을 확인할 수 있다.

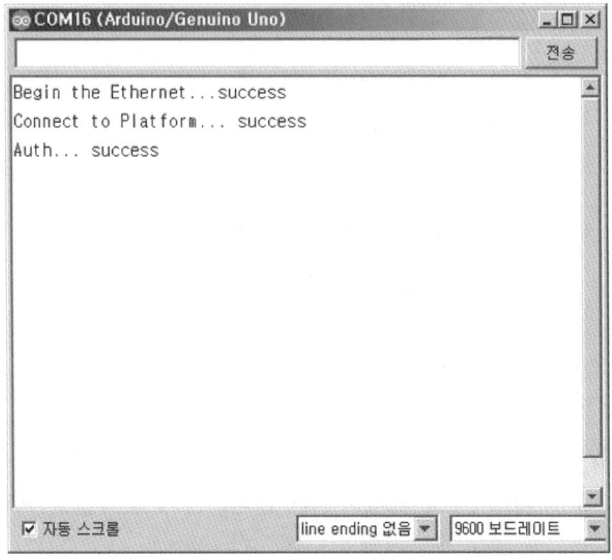

[그림 11-17] 연결 상태 확인

② 디바이스와 연결이 성공하면 IoTMakers의 디바이스 연결 상태가 'ON'으로 변경되는 것을 확인할 수 있다.

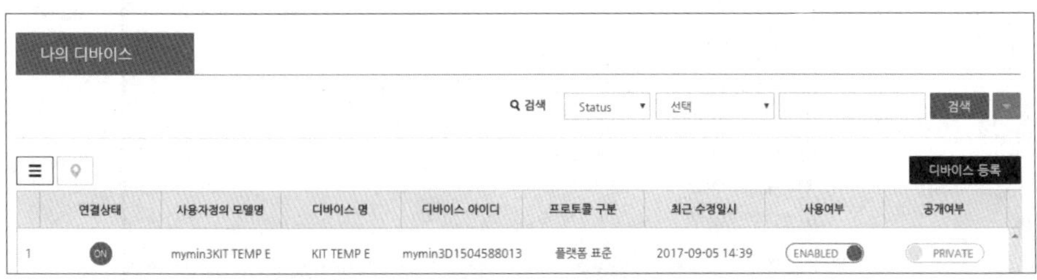

[그림 11-18] 디바이스 상태 변경

③ 앞에서 생성한 태그 스트림 목록에서 'Temperature'를 선택하면 온도센서로부터 읽어 온 센서값이 출력되는 것을 확인할 수 있다.

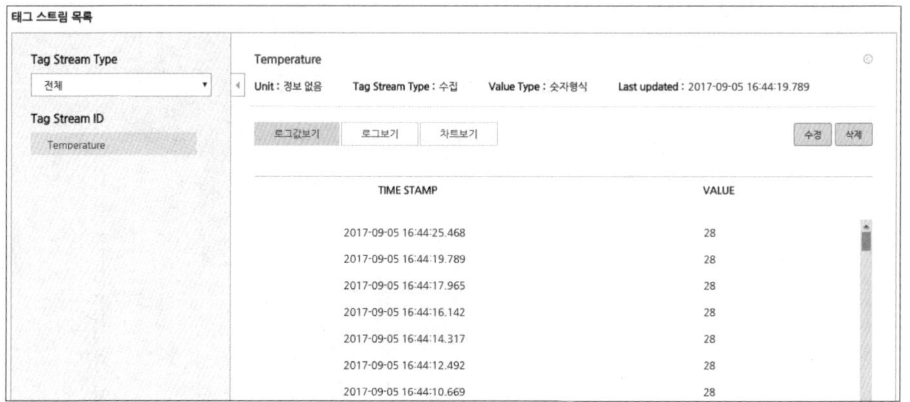

[그림 11-19] 센서값 모니터링

④ 시리얼 모니터에도 온도센서값이 함께 출력되는 것을 확인할 수 있다.

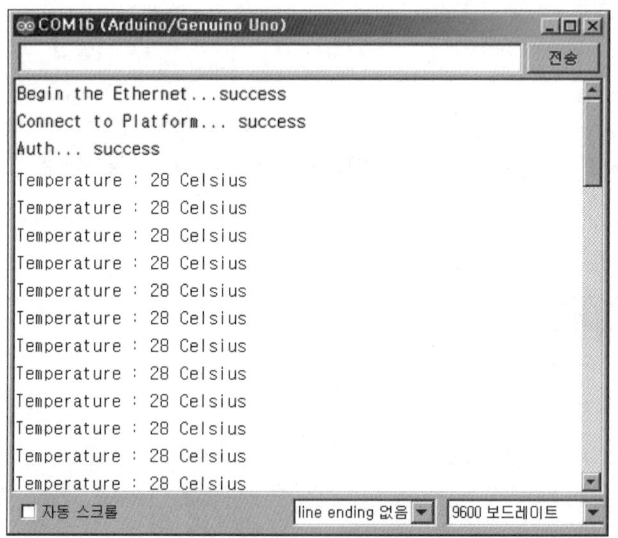

[그림 11-20] 센서값 출력

11.4 과제

1) 화씨의 온도값을 불러오는 'getTempFByIndex()' 함수를 사용하여 화씨의 값만 출력하도록 펌웨어를 작성한다. (섭씨의 온도값은 보내지 않고 화씨의 값만 보내도록 작성한다.)
2) 과제 1의 완성한 펌웨어에서 TagStream ID가 'TempFa'일 때 KT Platform에서 센서값이 출력되도록 펌웨어를 작성한다. (펌웨어 작성 완료 후 데이터 전송 시 KT Platform에서 같은 TagStream ID를 생성해야 한다.)

PART
12

4차 산업혁명 요소 기술 아두이노를 이용한 IoT 디바이스 개발 실무

유선으로 실습하는 IoT
- FND 모듈 제어

PART 12 유선으로 실습하는 IoT - FND 모듈 제어

실습 목표

- ▶ Ethernet 통신을 이용한 KT Platform의 접속 및 인증을 실행할 수 있다.
- ▶ IoTMakers에서 FND 모듈을 제어할 수 있다.

12.1 하드웨어 구성 확인하기

12.1.1 기초 이론

하드웨 구성은 '아두이노를 이용한 FND 모듈 제어'와 동일하므로 생략한다.

12.2 개발 환경 구축

12.2.1 결선 방법 및 디바이스 생성

(1) 결선 방법

아래 그림과 같이 장비의 아래쪽에 모듈을 연결할 수 있는 컨넥터가 있다. 모듈을 연결 시 Starter Kit와 모듈의 연결 부분에 화살표가 마주 보는 상태로 연결되어야 한다.

만약 모듈을 뒤집어서 연결할 경우, VCC와 GND 전원 연결 핀이 반대로 연결되어 고장이 일어날 수 있으므로 뒤집어서 연결하지 않도록 주의한다.

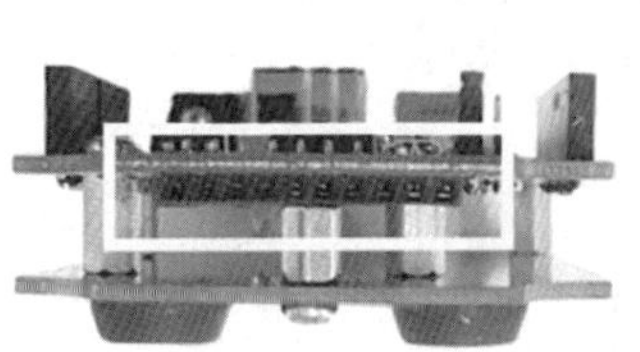

[그림 12-1] 모듈 컨넥터

[그림 12-2] 모듈 연결 방법

(2) 디바이스 생성

① KT IoTMakers 플랫폼에서 'IoT 개발 〉 나의 디바이스'를 선택한다.

[그림 12-3] 나의 디바이스 선택

② 디바이스 생성을 위해 '디바이스 생성' 버튼을 눌러 준다. 처음 디바이스를 생성한 경우 아래와 같은 화면을 볼 수 있다.

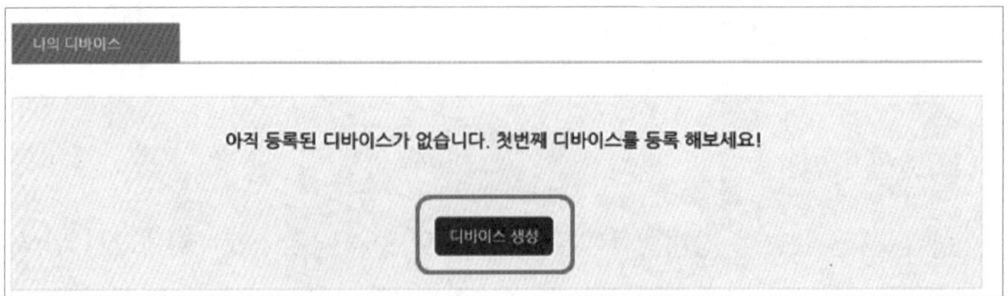

[그림 12-4] 디바이스 생성

③ 디바이스 명은 ‘KIT FND E’로 입력하고 디바이스 아이디와 패스워드는 기본으로 주어지는 값을 사용한다. 만약 변경을 원할 경우에는 ‘수정’ 버튼을 선택하여 변경할 수 있다. 프로토콜 유형은 ‘KT Standard I/F’의 ‘TCP’ 통신 프로토콜을 사용한다.

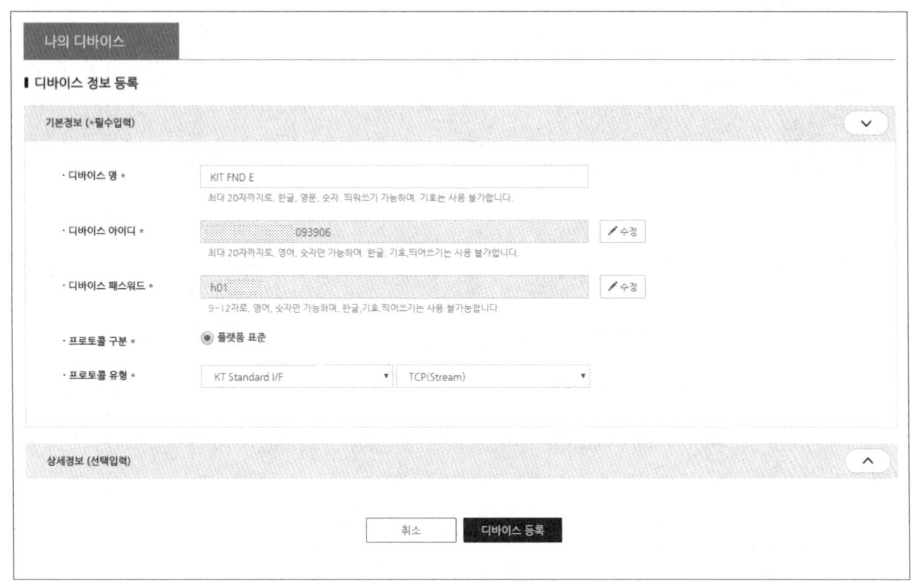

[그림 12-5] 디바이스 정보 등록

④ 생성된 디바이스를 선택하면 디바이스에 대한 상세 정보를 확인할 수 있다.

[그림 12-6] 디바이스 정보 확인

12.2.2 펌웨어 설명

Ethernet 통신을 사용하기 위해 'Ethernet'와 'SPI' 라이브러리 그리고 Ethernet 통신의 Starter Kit를 위한 'IoTStarterKit_Eth' 라이브러리를 추가한다.

```
#include <Ethernet.h>
#include <SPI.h>
#include <IoTStarterKit_Eth.h>
```

KT IoTMakers 플랫폼과 연결을 위해 앞에서 생성한 디바이스의 등록 정보를 입력한다.

- deviceID ⇒ KT IoTMakers 플랫폼에서 사용자가 생성한 디바이스 아이디를 입력
- authnRqtNo ⇒ KT IoTMakers 플랫폼에서 생성된 디바이스 패스워드를 입력
- extrSysID ⇒ KT IoTMakers 플랫폼에서 생성된 Gateway 연결 ID를 입력

[그림 12-7] 사용자의 등록 정보

```
/* IoTMakers */
IoTStarterKit_Eth g_im;

// 사용자의 정보 입력
#define deviceID    "**************093906"
#define authnRqtNo "h01******"
#define extrSysID   "OPEN_TCP_001PTL001_1000******"
```

IoT Starter Kit 뒷면에는 개별 MAC Address가 기록되어 있다. Ethernet 통신을 사용하기 위해 뒷면에 기록된 MAC Address를 입력한다. (본 예시의 MAC Address는 아래와 같으며, 장비마다 모두 다른 MAC Address를 갖는다.)

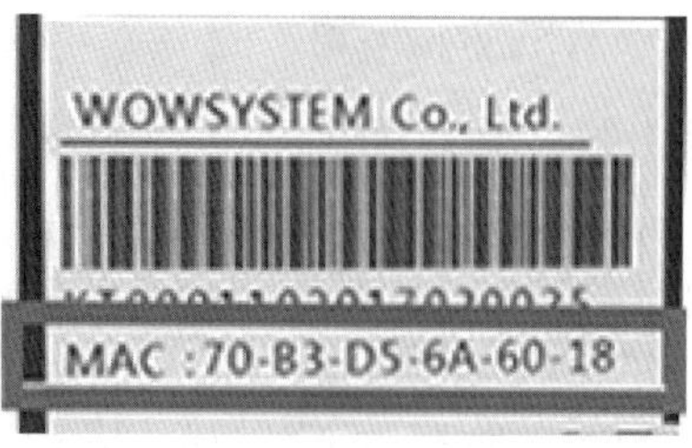

[그림 12-8] 사용자의 등록 정보

```
/* Ethernet */
EthernetClient client;

const char mac[] = { 0x70, 0xB3, 0xD5, 0x6A, 0x60, 0x18 }; //Mac Address
```

KT IoTMakers 플랫폼에서 사용할 FND의 TAG ID를 정의하고 FND가 연결된 핀을 선언한다. 모듈의 FND 핀은 IO2~IO5, A2~A5 핀에 순서대로 고정되어 있으며, 각 숫자에 대한 LED의 설정값을 배열로 정의한다.

```
#define TAG_ID "FND"

int fnd_pin[8] = {2, 3, 4, 5, A2, A3, A4, A5 };
int fnd_digits[10][8] = {
 {1, 1, 1, 1, 1, 1, 0, 0 },  //0
 {0, 1, 1, 0, 0, 0, 0, 0 },  //1
 {1, 1, 0, 1, 1, 0, 1, 0 },  //2
 {1, 1, 1, 1, 0, 0, 1, 0 },  //3
 {0, 1, 1, 0, 0, 1, 1, 0 },  //4
 {1, 0, 1, 1, 0, 1, 1 ,0 },  //5
 {1, 0, 1, 1, 1, 1, 1, 0 },  //6
 {1, 1, 1, 0, 0, 0, 0, 0 },  //7
 {1, 1, 1, 1, 1, 1, 1, 0 },  //8
 {1, 1, 1, 1, 0, 1, 1, 0 } }; //9
```

'init_iotmakers()' 함수는 KT IoTMakers 플랫폼 접속을 위한 과정이다. IoT 실습을 위해서는 첫 번째로 인터넷에 연결하고, 두 번째로 KT IoTMakers 플랫폼에 연결 후 마지막으로 플랫폼으로부터 인증을 받아야 한다.

첫 번째 단계인 인터넷 연결을 위해 시리얼 모니터에 "Begin the Ethernet…"을 출력하고 MAC Address 값을 이용하여 Ethernet을 시작한다. 이때 한 번에 접속이 안 될 수 있기 때문에 접속 시도를 5회 정도 반복한다. 접속에 성공하면 시리얼 모니터에 "success"를 출력하고 실패하면 "fail"을 출력한다.

```
void init_iotmakers()
{
  int tryCount = 0;       //각 접속 시도 횟수를 저장하는 변수

  while(1)
  {
    // Ethernet 접속 시도
    Serial.print("Begin the Ethernet...");
    tryCount = 0;
    while( (Ethernet.begin(mac) == 0) && tryCount < 5 )
    {
      Serial.println(F("retrying."));
      delay(2000);
      tryCount++;
    }
    if(tryCount < 5)
    {
      Serial.println("success");
    }
    else
    {
      Serial.println("fail");
      continue;
    }
```

인터넷에 연결되면 KT IoTMakers 디바이스 등록 정보(deviceID, authnRqtNo, extrSysID)로 연결을 초기화하고, KT IoTMakers 플랫폼에서 전송한 디바이스 제어 데이터(숫자형)를 처리하기 위하여 핸들러 함수를 등록한다.

두 번째 단계인 KT IoTMakers 플랫폼에 연결을 위해 시리얼 모니터에 "Connect to Platform…"을 출력한다. 이때 앞에서와 마찬가지로 연결이 실패할 수 있기 때문에 5회 정도 반복하여 연결을 시도한다. 연결이 성공하면 시리얼 모니터에 "success"를 출력하고 실패하면 "fail"을 출력한다.

```
// 인자값으로 받은 정보로 KT IoT Makers 연결 초기화
g_im.init(deviceID, authnRqtNo, extrSysID, client);

//숫자 데이터를 받았을 때 실행할 함수 등록
g_im.set_numdata_handler(mycb_numdata_handler);

// IoTMakers 플랫폼 연결
Serial.print("Connect to Platform... ");
tryCount = 0;
while ( (g_im.connect() < 0) && tryCount < 5 ){
  Serial.println("retrying.");
  delay(1000);
  tryCount++;
}
if(tryCount < 5)
{
  Serial.println("success");
}
else
{
  Serial.println("fail");
  continue;
}
```

마지막 단계인 KT IoTMakers 플랫폼에 디바이스 인증을 받기 위해 시리얼 모니터에 "Auth…"를 출력한다. 앞에서 사용자가 입력한 디바이스 아이디(deviceID), 디바이스 패스워드(authnRqtNo), Gateway 연결 ID(extrSysID)를 플랫폼에 넘겨 준다. 인증에 성공하면 "success"를 출력하고 실패하면 "fail"을 시리얼 모니터에 출력한다.

```
    //IoTMakers 플랫폼 인증
    Serial.print("Auth... ");
    if(g_im.auth_device() >= 0)
    {
      Serial.println("success ");
      return;
    }
    Serial.println("fail");
  }
}
```

'setup()' 함수에서는 시리얼 모니터를 사용하기 위해 통신 속도를 9600으로 설정 후 초기화한다. FND가 연결된 핀을 모두 출력으로 설정한다. 마지막으로 IoT Starter Kit와 IoTMakers 플랫폼을 초기화한다.

```
void setup()
{
  Serial.begin(9600);

  for(int i=0; i<7; i++)
  {
    pinMode(fnd_pin[i], OUTPUT);
  }

  init_iotmakers();
}
```

'loop()' 함수에서는 'g_im.loop()'함수를 반복적으로 호출하여 IoTMakers 플랫폼으로부터 전송된 데이터가 있는지 확인하고, 제어 데이터가 있으면 사용자가 등록한 핸들러(콜백 함수)를 호출한다.

```
void loop()
{
  // IoTMakers 플랫폼 수신 처리 및 keepalive 송신
  g_im.loop();
}
```

'mycb_numdata_handler()' 함수는 KT IoTMakers 플랫폼에서 전송한 문자형 디바이스 제어 데이터를 처리하기 위한 핸들러 함수이다. KT IoTMakers 플랫폼에서 등록한 태그 스트림 ID와 앞에서 정의한 TAG ID 값을 비교하여 FND를 제어한다. 이때 플랫폼에 등록한 태그 스트림 ID와 펌웨어에서 정의한 TAG ID 값이 같아야 제어 데이터가 전달된다.

TAG ID가 'FND'이면 'display()' 함수를 호출하여 입력된 값을 FND에 출력하고 시리얼 모니터에 'FND NUM : FND 값'을 출력한다.

```
void mycb_numdata_handler(char *tagid, double numval)
{
  if(strcmp(tagid, TAG_ID) == 0)
  {
    display((int)numval);

    Serial.print("FND NUM : ");
    Serial.println((int)numval);
  }
}
```

'display()' 함수는 FND에 출력하는 숫자를 표시한다. 입력되는 숫자값의 범위를 0~9사이에 있도록 설정하고, 입력된 숫자를 8개의 LED 조합으로 FND로 출력한다.

```
void display(int num)
{
  if(num < 0) num = 0;
  else if(num >= 10) num = 9;

  for(int i=0; i<7; i++)
  {
    digitalWrite(fnd_pin[i], fnd_digits[num][i]);
  }
}
```

12.3 펌웨어 연동 및 테스트

12.3.1 장비 결선 및 업로드

(1) 태그 스트림 생성

① '태그 스트림 생성' 버튼을 눌러 태그 스트림을 생성한다.

[그림 12-9] 태그 스트림 생성

② 실습에 사용할 FND 모듈의 태그 스트림을 생성한다. Tag Stream ID는 'FND', Tag Stream Type은 '제어', Value는 '숫자 형식'으로 설정 후 '생성' 버튼을 선택한다.

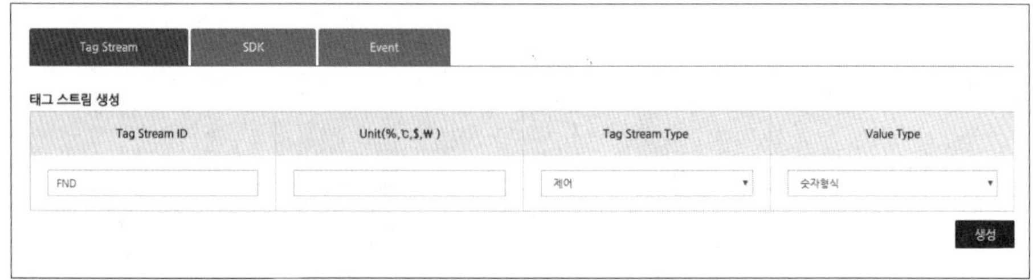

[그림 12-10] 태그 스트림 생성 조건

③ 태그 스트림 생성이 완료되면 태그 스트림 목록에 등록한 Tag Stream ID가 나타난다.

[그림 12-11] 태그 스트림 목록

(2) 장비 결선 및 펌웨어 업로드

① Starter Kit를 PC와 USB Cable로 연결하고, 공유기와 Ethernet Cable로 연결한다.

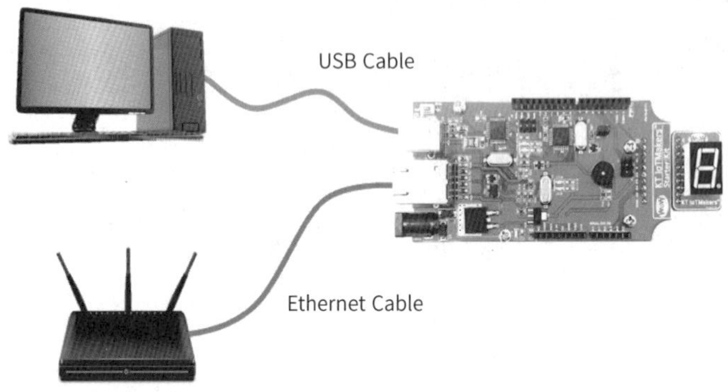

[그림 12-12] PC와 Starter KiT 연결

② '툴-보드'에서 'Arduino/Genuino Uno'를 선택한다.

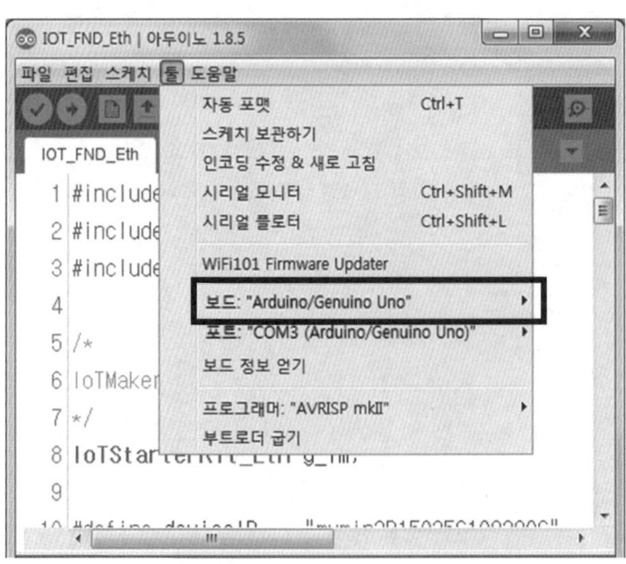

[그림 12-13] Arduino 보드 선택

③ USB로 연결된 장비의 해당 포트를 선택한다. (본 실습 환경에서 사용한 포트는 'COM3'이다.)

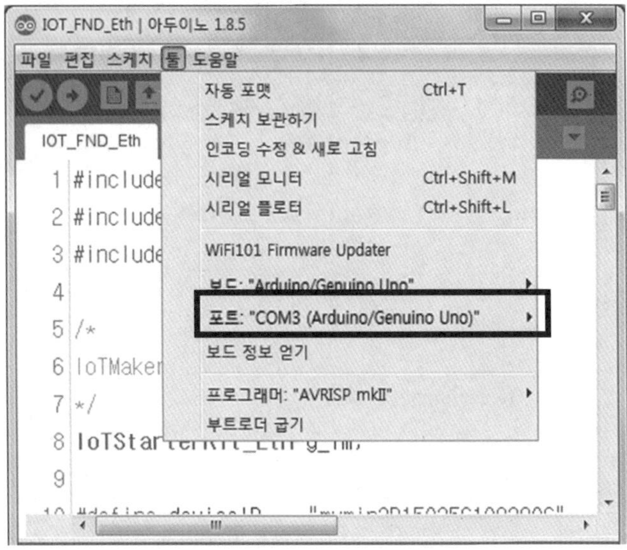

[그림 12-14] Arduino 포트 선택

④ '컴파일 및 업로드' 버튼을 선택한다.

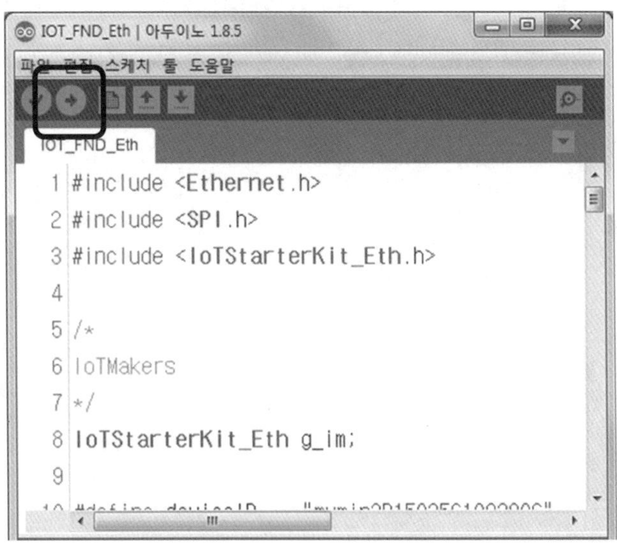

[그림 12-15] 컴파일 및 업로드

⑤ 시리얼 모니터를 실행한다.

[그림 12-16] 시리얼 모니터 실행

12.3.2 실행 결과

① 시리얼 모니터를 통하여 IoTMakers 플랫폼에 연결되는 과정을 확인할 수 있다.

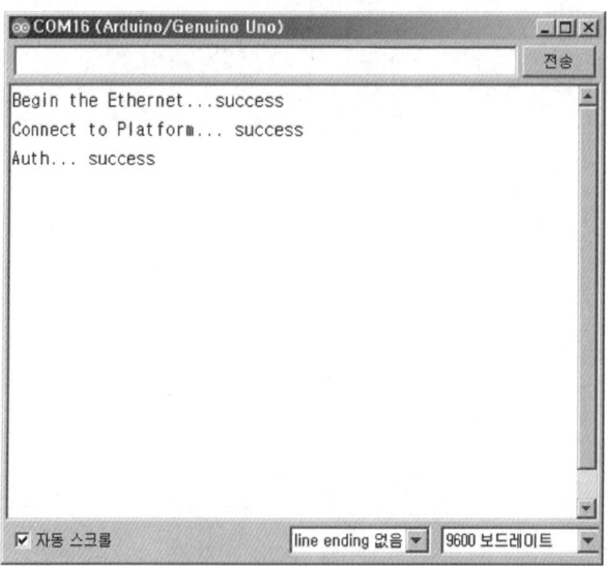

[그림 12-17] 연결 상태 확인

② 디바이스와 연결이 성공하면 IoTMakers의 디바이스 연결 상태가 'ON'으로 변경되는 것을 확인할 수 있다.

[그림 12-18] 디바이스 상태 변경

③ 앞에서 생성한 태그 스트림 목록에서 'FND'를 선택한 후 FND 제어값을 전송한다. 이때 입력되는 값은 펌웨어에서 정의한 숫자 범위 안에서 사용한다.

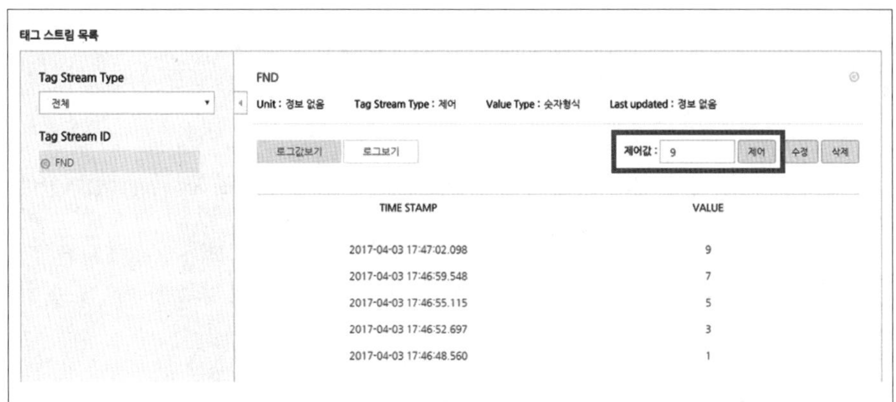

[그림 12-19] FND 제어값 전송

④ 전송한 제어값에 따라 IoT Starter Kit의 FND에 숫자가 출력되는 것을 확인할 수 있다. 또한, 시리얼 모니터에도 FND 값이 함께 출력되는 것을 확인할 수 있다.

[그림 12-20] FND 제어

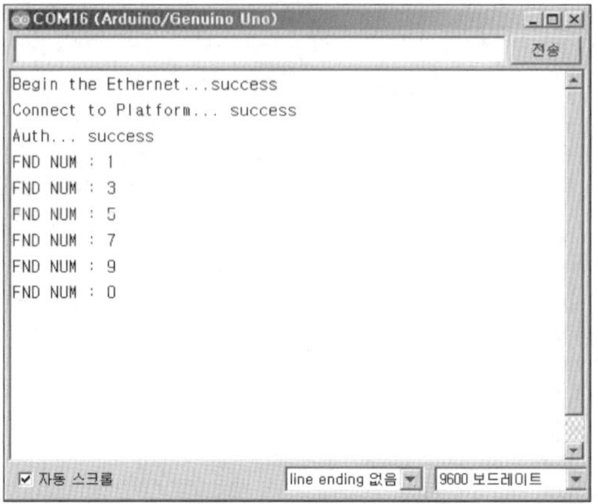

[그림 12-21] FND 상태 출력

12.4 과제

1) KT Platform에서 제어 명령어를 보냈을 때, 시리얼 모니터에 'FND NUMBER : FND 값'의 형태로 출력되도록 펌웨어를 작성한다.
2) KT Platform에서 숫자 '1'을 전송하였을 때, FND에 0~9까지 순차적으로 숫자가 출력되도록 펌웨어를 작성한다.

PART 13

4차 산업혁명 요소 기술 아두이노를 이용한 IoT 디바이스 개발 실무

유선으로 실습하는 IoT - Servo 모터 모듈 제어

PART 13 유선으로 실습하는 IoT - Servo 모터 모듈 제어

실습 목표

- ▶ Ethernet 통신을 이용한 KT Platform의 접속 및 인증을 실행할 수 있다.
- ▶ IoTMakers에서 Servo 모터 모듈을 제어할 수 있다

13.1 하드웨어 구성 확인하기

하드웨어 구성은 '아두이노를 이용한 Servo 모터 모듈 제어'와 동일하므로 생략한다.

13.2 개발 환경 구축

13.2.1 결선 방법 및 디바이스 생성

(1) 결선 방법

아래 그림과 같이 장비의 아래쪽에 모듈을 연결할 수 있는 컨넥터가 있다. 모듈을 연결 시 Starter Kit와 모듈의 연결 부분에 화살표가 마주 보는 상태로 연결되어야 한다.

만약 모듈을 뒤집어서 연결할 경우, VCC와 GND 전원 연결 핀이 반대로 연결되어 고장이 일어날 수 있으므로 뒤집어서 연결하지 않도록 주의한다.

[그림 13-1] 모듈 컨넥터

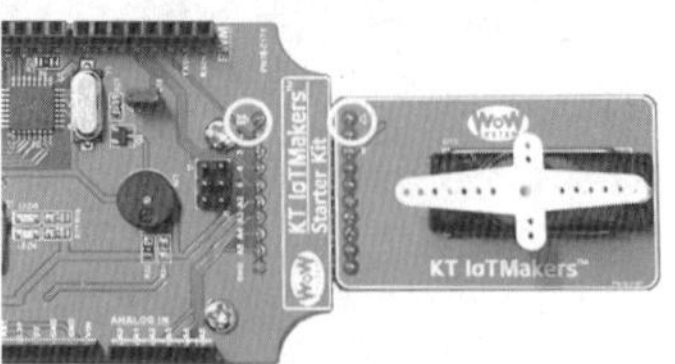

[그림 13-2] 모듈 연결 방법

(2) 디바이스 생성

① KT IoTMakers 플랫폼에서 'IoT 개발 〉 나의 디바이스'를 선택한다.

[그림 13-3] 나의 디바이스 선택

② 디바이스 생성을 위해 '디바이스 생성' 버튼을 눌러 준다. 처음 디바이스를 생성한 경우 아래와 같은 화면을 볼 수 있다.

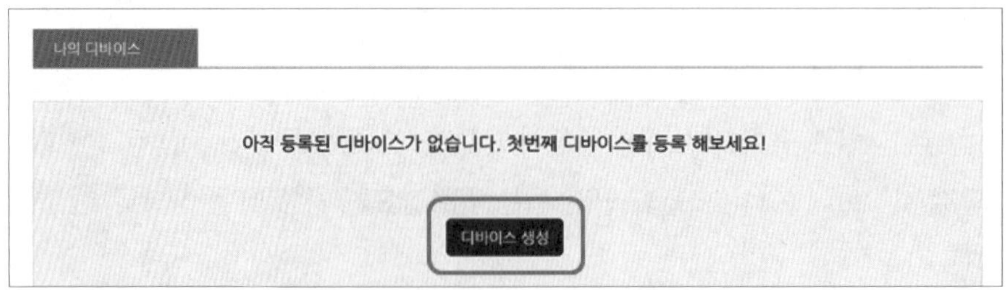

[그림 13-4] 디바이스 생성

③ 디바이스 명은 'KIT Servo E'로 입력하고 디바이스 아이디와 패스워드는 기본으로 주어지는 값을 사용한다. 만약 변경을 원할 경우에는 '수정' 버튼을 선택하여 변경할 수 있다. 프로토콜 유형은 'KT Standard I/F'의 'TCP' 통신 프로토콜을 사용한다.

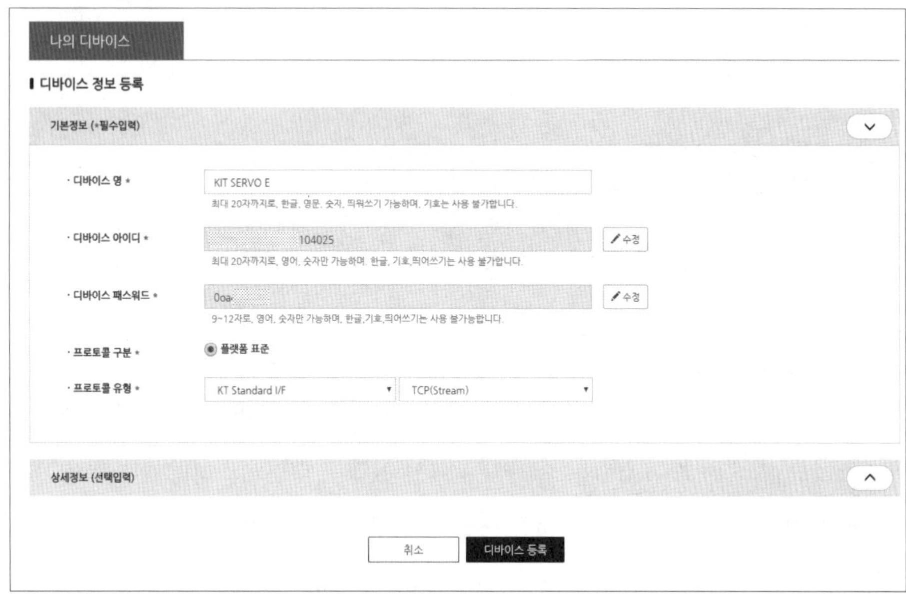

[그림 13-5] 디바이스 정보 등록

④ 생성된 디바이스를 선택하면 디바이스에 대한 상세 정보를 확인할 수 있다.

[그림 13-6] 디바이스 정보 확인

13.2.2 펌웨어 설명

Ethernet 통신을 사용하기 위해 'Ethernet' 라이브러리 그리고 Ethernet 통신의 Starter Kit를 위한 'IoTStarterKit_Eth' 라이브러리를 추가한다. 또한, Servo 모터를 사용하기 위해 'Servo' 라이브러리를 추가로 정의한다.

```
#include <Ethernet.h>
#include <IoTStarterKit_Eth.h>
#include <Servo.h>
```

KT IoTMakers와 연결을 위해 사용자의 등록 정보를 입력한다.

- deviceID ⇒ KT IoTMakers 플랫폼에서 사용자가 생성한 디바이스 아이디를 입력
- authnRqtNo ⇒ KT IoTMakers 플랫폼에서 생성된 디바이스 패스워드를 입력
- extrSysID ⇒ KT IoTMakers 플랫폼에서 생성된 Gateway 연결 ID를 입력

[그림 13-7] 사용자의 등록 정보

```
/* IoTMakers */
IoTStarterKit_Eth g_im;

// 사용자의 정보 입력
#define deviceID   "**************104025"
#define authnRqtNo "0oa******"
#define extrSysID  "OPEN_TCP_001PTL001_1000******"
```

IoT Starter Kit 뒷면에는 개별 MAC Address가 기록되어 있다. Ethernet 통신을 사용하기 위해 뒷면에 기록된 MAC Address를 입력한다. (본 예시의 MAC Address는 아래와 같으며, 장비마다 모두 다른 MAC Address를 갖는다.)

[그림 13-8] 사용자의 등록 정보

```
/* Ethernet */
EthernetClient client;

const char mac[] = { 0x70, 0xB3, 0xD5, 0x6A, 0x60, 0x18 }; //Mac Address
```

Servo 모터 모듈의 TAG ID를 정의한다. Servo 모터를 제어할 오브젝트와 모터의 각도를 저장하는 변수를 선언하고 초기화한다.

Servo 모터가 KT IoTMakers 플랫폼에서 사용할 TAG ID를 정의한다. 모듈의 TAG ID는 'Servo'로 정의하고, Servo 모터를 제어하기 위해 객체를 생성하고, 각도 제어를 위한 변수 'pos'를 0으로 초기화한다.

```
/* Arduino */
#define TAG_ID "Servo"

Servo myServo;
int pos = 0;
```

'init_iotmakers()' 함수는 KT IoTMakers 플랫폼 접속을 위한 과정이다. IoT 실습을 위해서는 첫 번째로 인터넷에 연결하고, 두 번째로 KT IoTMakers 플랫폼에 연결 후 마지막으로 플랫폼으로부터 인증을 받아야 한다.

첫 번째 단계인 인터넷 연결을 위해 시리얼 모니터에 "Begin the Ethernet..."을 출력하고 MAC Address 값을 이용하여 Ethernet을 시작한다. 이때 한 번에 접속이 안 될 수 있기 때문에 접속 시도를 5회 정도 반복한다. 접속에 성공하면 시리얼 모니터에 "success"를 출력하고 실패하면 "fail"을 출력한다.

```
void init_iotmakers()
{
 int tryCount = 0;        //각 접속 시도 횟수를 저장하는 변수

 while(1)
 {
  // Ethernet 접속 시도
  Serial.print("Begin the Ethernet...");
  tryCount = 0;
  while( (Ethernet.begin(mac) == 0) && tryCount < 5 )
  {
   Serial.println(F("retrying."));
   delay(2000);
   tryCount++;
  }
  if(tryCount < 5)
  {
   Serial.println("success");
  }
  else
  {
   Serial.println("fail");
   continue;
  }
```

인터넷에 연결되면 KT IoTMakers 디바이스 등록 정보(deviceID, authnRqtNo, extrSysID)로 연결을 초기화하고, KT IoTMakers 플랫폼에서 전송한 디바이스 제어 데이터(문자형)를 처리하기 위하여 핸들러 함수를 등록한다.

두 번째 단계인 KT IoTMakers 플랫폼에 연결을 위해 시리얼 모니터에 "Connect to Platform..."을 출력한다. 이때 앞에서와 마찬가지로 연결이 실패할 수 있기 때문에 5회 정도 반복하여 연결을 시도한다. 연결이 성공하면 시리얼 모니터에 "success"를 출력하고 실패하면 "fail"을 출력한다.

```
// 인자값으로 받은 정보로 KT IoT Makers 연결 초기화
g_im.init(deviceID, authnRqtNo, extrSysID, client);

g_im.set_strdata_handler(mycb_strdata_handler);

// IoTMakers 플랫폼 연결
Serial.print("Connect to Platform... ");
tryCount = 0;
while ( (g_im.connect() < 0) && tryCount < 5 ){
 Serial.println("retrying.");
 delay(1000);
 tryCount++;
}
if(tryCount < 5)
{
 Serial.println("success");
}
else
{
 Serial.println("fail");
 continue;
}
```

마지막 단계인 KT IoTMakers 플랫폼에 디바이스 인증을 받기 위해 시리얼 모니터에 "Auth..."를 출력한다. 앞에서 사용자가 입력한 디바이스 아이디(deviceID), 디바이스 패스워드(authnRqtNo), Gateway 연결 ID(extrSysID)를 플랫폼에 넘겨 준다. 인증에 성공하면 "success"를 출력하고 실패하면 "fail"을 시리얼 모니터에 출력한다.

```
    //IoTMakers 플랫폼 인증
    Serial.print("Auth... ");
    if(g_im.auth_device() >= 0)
    {
      Serial.println("success ");
      return;
    }
    Serial.println("fail");
  }
}
```

'setup()' 함수에서는 시리얼 모니터를 사용하기 위해 통신 속도를 9600으로 설정 후 초기화한다. Servo 모터가 연결된 핀을 'attach()' 함수를 사용하여 연결하여 주고, IoT Starter Kit와 IoTMakers 플랫폼을 초기화한다.

```
void setup()
{
  Serial.begin(9600);

  myServo.attach(3);

  init_iotmakers();
}
```

'loop()' 함수에서는 'g_im.loop()' 함수를 반복적으로 호출하여 IoTMakers 플랫폼으로부터 전송된 데이터가 있는지 확인하고, 제어 데이터가 있으면 사용자가 등록한 핸들러(콜백 함수)를 호출한다.

```
void loop()
{
  // IoTMakers 플랫폼 수신 처리 및 keepalive 송신
  g_im.loop();
}
```

'mycb_strdata_handler()' 함수는 KT IoTMakers 플랫폼에서 전송한 문자형 디바이스 제어 데이터를 처리하기 위한 핸들러 함수이다. KT IoTMakers 플랫폼에서 등록한 태그 스트림 ID와 앞에서 정의한 TAG ID 값을 비교하여 Servo 모터를 제어한다. 이때 플랫폼에 등록한 태그 스트림 ID와 펌웨어에서 정의한 TAG ID 값이 같아야 제어 데이터가 전달된다.

- ▶ TAG ID가 'Servo'이고 제어값이 'CW'이면 Servo 모터를 시계방향으로 180° 회전시키고, 시리얼 모니터에 'Clock Wise'를 출력
- ▶ TAG ID가 'Servo'이고 제어값이 'CCW'이면 Servo 모터를 반시계방향으로 180° 회전시키고, 시리얼 모니터에 'Count Clock Wise'를 출력

```
void mycb_strdata_handler(char *tagid, char *strval)
{
  if ( strcmp(tagid, TAG_ID) == 0 && strcmp(strval, "CW") == 0 )
  {
    Serial.println("Clock Wise");
    for(pos = 0; pos < 180; pos += 1)
    {
      myServo.write(pos);
      delay(15);
    }
  }

  else if ( strcmp(tagid, TAG_ID) == 0 && strcmp(strval, "CCW") == 0 )
  {
    Serial.println("Count Clock Wise");
    for(pos = 180; pos>=1; pos-=1)
    {
      myServo.write(pos);
      delay(15);
    }
  }
}
```

13.3 펌웨어 연동 및 테스트

13.3.1 장비 결선 및 업로드

(1) 태그 스트림 생성

① '태그 스트림 생성' 버튼을 눌러 태그 스트림을 생성한다.

[그림 13-9] 태그 스트림 생성

② 실습에 사용할 Servo 모터 모듈의 태그 스트림을 생성한다. Tag Stream ID는 'Servo', Tag Stream Type은 '제어', Value는 '문자 형식'으로 설정 후 '생성' 버튼을 선택한다.

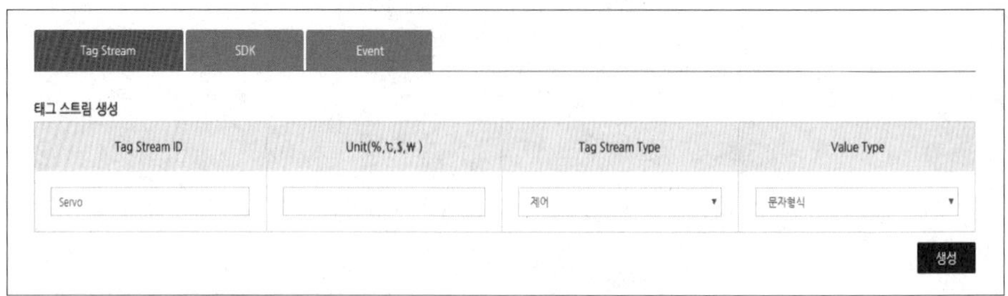

[그림 13-10] 태그 스트림 생성 조건

③ 태그 스트림 생성이 완료되면 태그 스트림 목록에 등록한 Tag Stream ID가 나타난다.

[그림 13-11] 태그 스트림 목록

(2) 장비 결선 및 펌웨어 업로드

① Starter Kit를 PC와 USB Cable로 연결하고, 공유기와 Ethernet Cable로 연결한다.

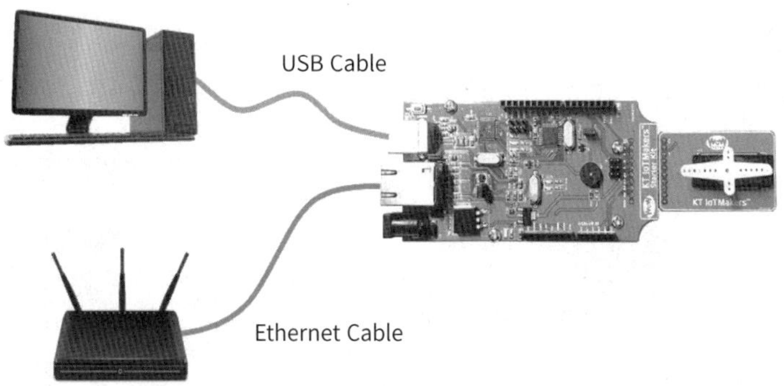

[그림 13-12] PC와 Starter KiT 연결

② '툴-보드'에서 'Arduino/Genuino Uno'를 선택한다.

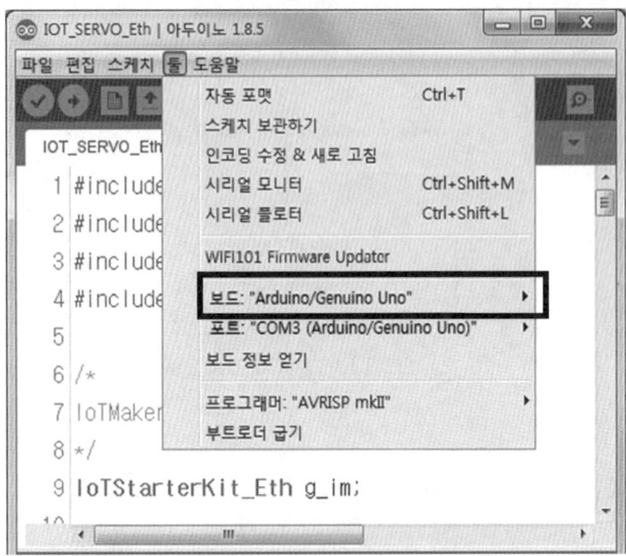

[그림 13-13] Arduino 보드 선택

③ USB로 연결된 장비의 해당 포트를 선택한다. (본 실습 환경에서 사용한 포트는 'COM3'이다.)

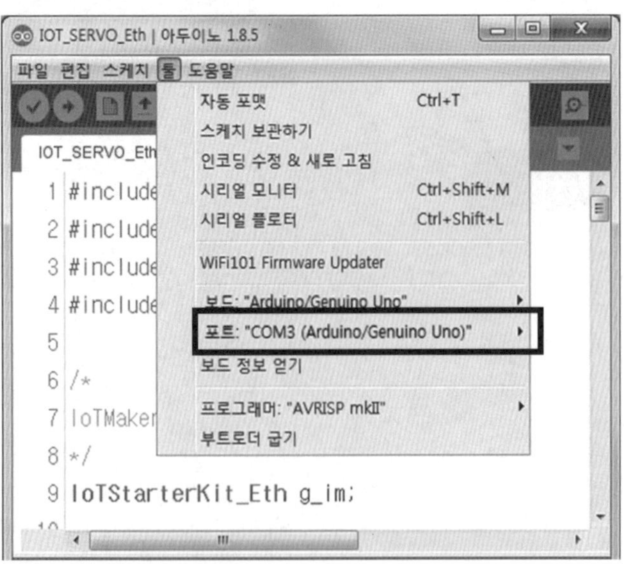

[그림 13-14] Arduino 포트 선택

④ '컴파일 및 업로드' 버튼을 선택한다.

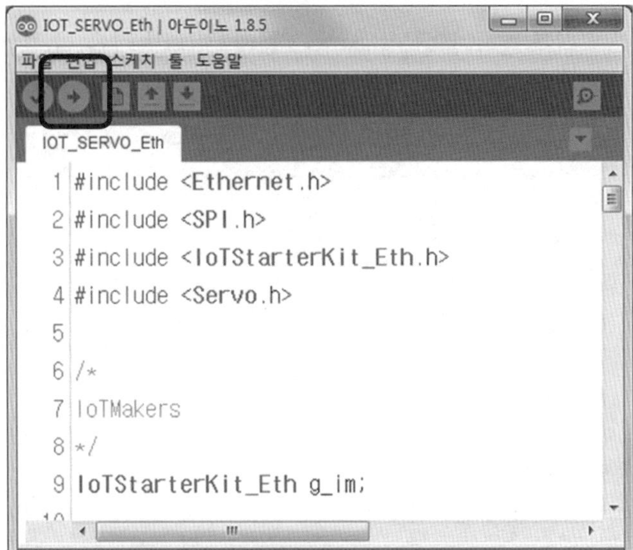

[그림 13-15] 컴파일 및 업로드

⑤ 시리얼 모니터를 실행한다.

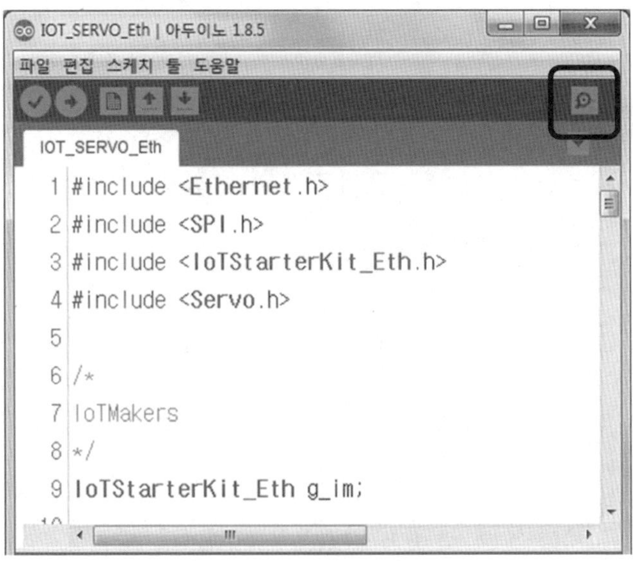

[그림 13-16] 시리얼 모니터 실행

13.3.2 실행 결과

① 시리얼 모니터를 통하여 IoTMakers 플랫폼에 연결되는 과정을 확인할 수 있다.

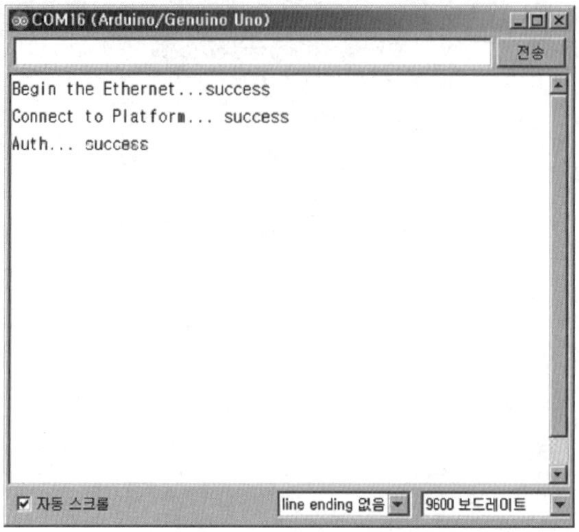

[그림 13-17] 연결 상태 확인

② 디바이스와 연결이 성공하면 IoTMakers의 디바이스 연결 상태가 'ON'으로 변경되는 것을 확인할 수 있다.

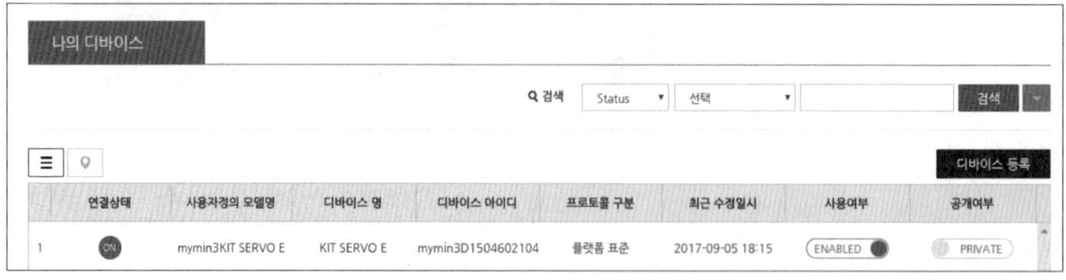

[그림 13-18] 디바이스 상태 변경

③ 앞에서 생성한 태그 스트림 목록에서 ‘Servo’를 선택한 후 Servo 모터 제어값을 전송한다. 이때 입력되는 값은 펌웨어에서 정의한 값과 동일해야 한다. 우리는 ‘CW’와 ‘CCW’ 값을 사용하였다.

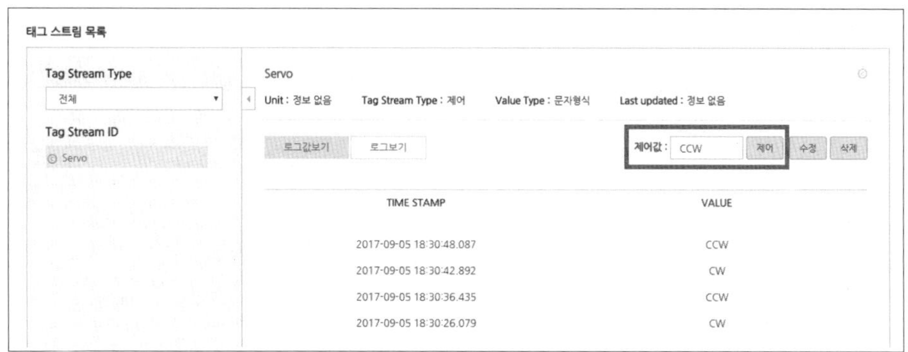

[그림 13-19] FND 제어값 전송

④ 전송한 제어값에 따라 IoT Starter Kit의 Servo 모터가 CW/CCW 방향으로 회전하는 것을 확인할 수 있다. 또한, 시리얼 모니터에도 ‘Clock Wise’ 또는 ‘Count Clock Wise’ 문장이 출력되는 것을 확인할 수 있다.

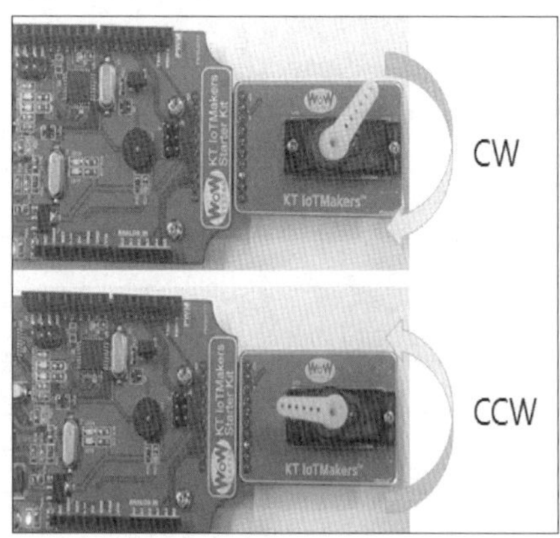

[그림 13-20] FND 제어

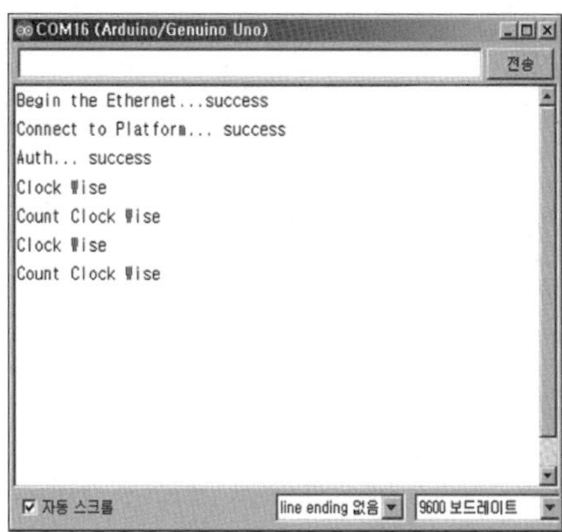

[그림 13-21] FND 상태 출력

13.4 과제

1) KT Platform에서 제어 명령어를 보냈을 때, Servo 모터가 90°만 회전하도록 펌웨어를 작성한다. (시계방향, 반시계방향 모두 90° 만 회전하도록 작성)
2) KT Platform에서 'MOVE' 제어 명령어를 전송하였을 때, Servo 모터가 시계방향으로 180 ° 회전 후 다시 반시계방향으로 180 ° 회전하도록 펌웨어를 작성한다.

PART
14

4차 산업혁명 요소 기술 아두이노를 이용한 IoT 디바이스 개발 실무

유선으로 실습하는 IoT
- Event 제어

PART 14 유선으로 실습하는 IoT - Event 제어

실습 목표

- ▶ Ethernet 통신을 이용한 KT Platform의 접속 및 인증을 실행할 수 있다.
- ▶ IoTMakers에서 Event를 생성하여 온도센서의 값에 따라 FND를 제어할 수 있다

14.1 하드웨어 구성 확인하기

IoT에서 Event란 특정 조건에 따라 자동으로 제어할 수 있도록 하는 기능을 말한다. 예를 들어 집 안이 어두워지면 조명을 켜거나 가스가 누출되면 가스 밸브를 잠그는 등 센서와 제어가 연동하여 동작하는 것이다.

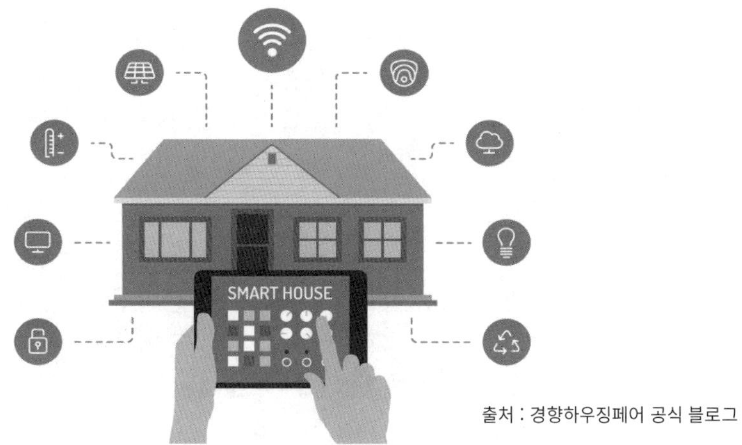

출처 : 경향하우징페어 공식 블로그

[그림 14-1] IoT 홈서비스

14.1.1 Event 실습 조건

온도값이 30도 이상이면 FND에 숫자 1이 출력되도록 한다.

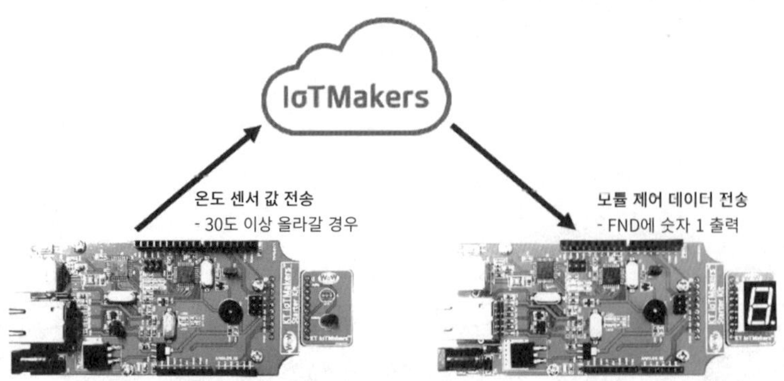

[그림 14-2] Event 조건

14.1.2 모듈 구성

(1) 온도센서 모듈

DS18B20 온도센서는 온도값을 측정하여 KT Platform으로 섭씨 온도 데이터를 전송한다.

[그림 14-3] 온도센서 모듈 Starter Kit

(2) FND 모듈

FND는 온도값에 따라 설정된 숫자를 출력한다.

[그림 14-4] FND 모듈 Starter Kit

14.2 개발 환경 구축

14.2.1 결선 방법 및 디바이스 생성

(1) 결선 방법

아래 그림과 같이 장비의 아래쪽에 모듈을 연결할 수 있는 컨넥터가 있다. 모듈을 연결 시 Starter Kit와 모듈의 연결 부분에 화살표가 마주 보는 상태로 연결되어야 한다.

만약 모듈을 뒤집어서 연결할 경우, VCC와 GND 전원 연결 핀이 반대로 연결되어 고장이 일어날 수 있으므로 뒤집어서 연결하지 않도록 주의한다.

- 온도센서 모듈

[그림 14-5] 모듈 컨넥터

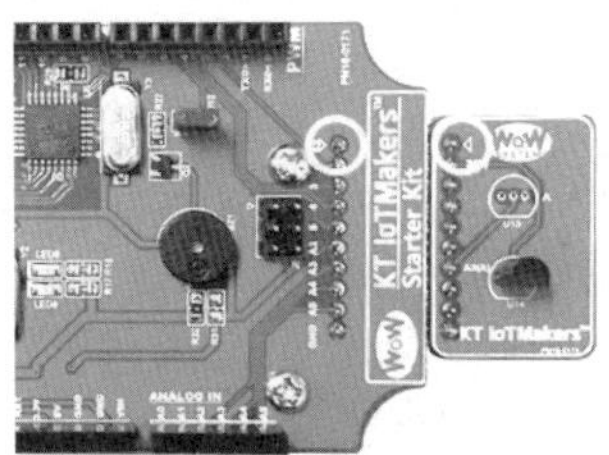

[그림 14-6] 모듈 연결 방법

- FND 모듈

[그림 14-7] 모듈 컨넥터

[그림 14-8] 모듈 연결 방법

(2) 디바이스 생성

앞의 실습에서 생성한 'KIT FND E'와 'KIT TEMP E' 디바이스를 사용한다.

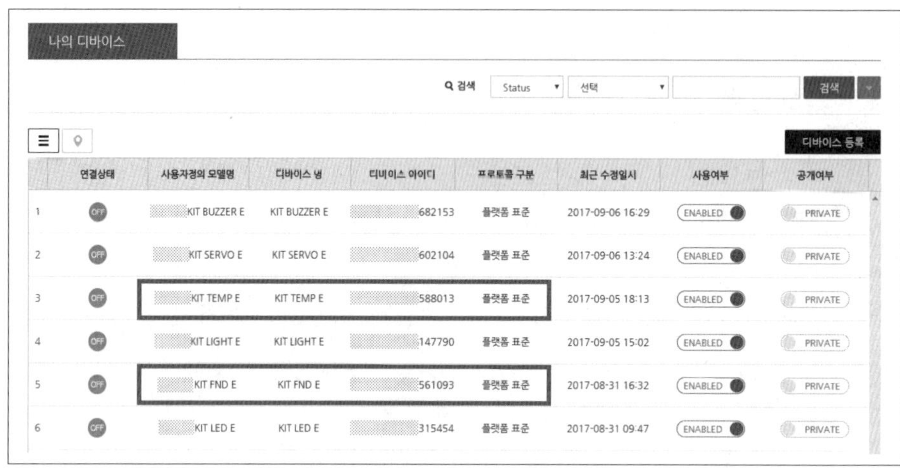

[그림 14-9] 디바이스 정보 등록

14.2.2 펌웨어 설명

IoT Starter Kit 2개를 이용하여 Event 실습을 위해서는 각각의 Starter Kit에 온도센서 모니터링 펌웨어와 FND 제어 펌웨어를 업로드해야 한다. 실습에 사용할 펌웨어의 내용은 '유선으로 실습하는 IoT - FND 모듈 제어', '유선으로 실습하는 IoT - 온도센서 모듈 모니터링'의 펌웨어 내용을 참고한다.

14.2.3. 장비 결선 및 업로드

① 2개의 Starter Kit를 PC와 USB Cable로 각각 연결하고, 공유기와 Ethernet Cable로 각각 연결한다.

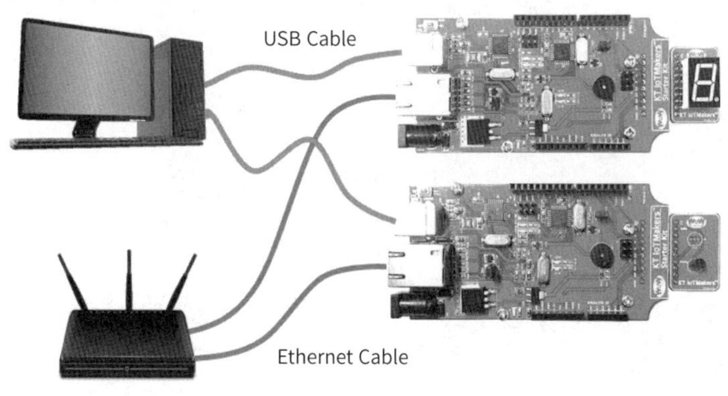

[그림 14-10] 장비 결선

② 각각의 펌웨어를 업로드한다.

③ 시리얼 모니터를 실행하고 통신 속도를 설정한다. (통신 속도는 기본으로 9600이 설정되어 있다.)

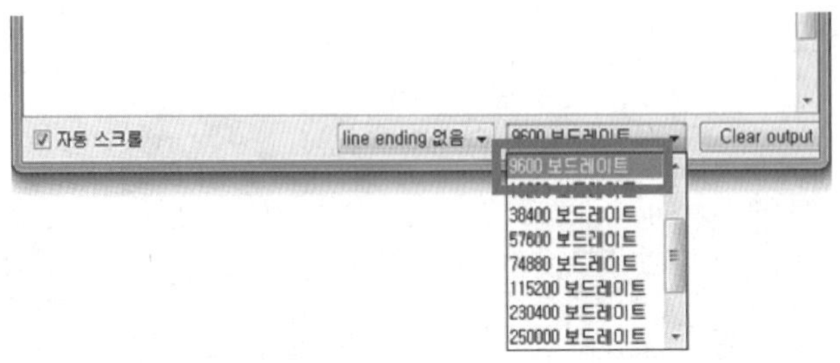

[그림 14-12] 통신 속도 설정

④ 디바이스와 연결이 성공하면 IoTMakers의 디바이스 연결 상태가 'ON'으로 변경되는 것을 확인할 수 있다.

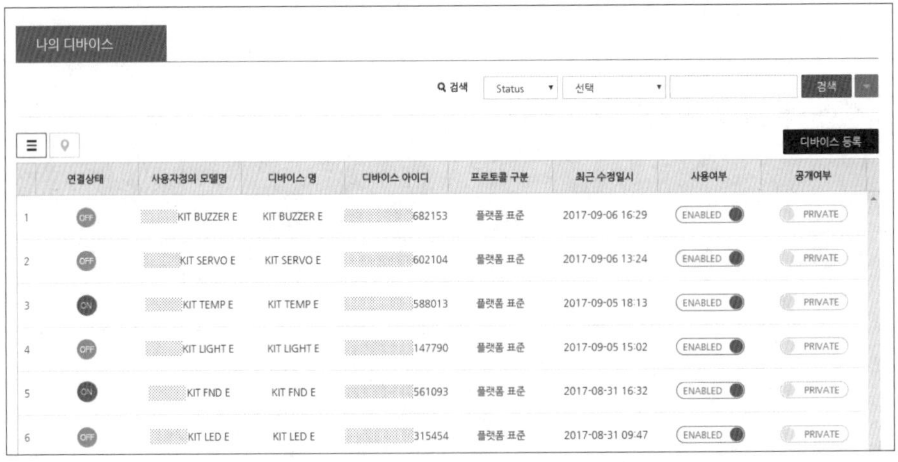

	연결상태	사용자정의 모델명	디바이스 명	디바이스 아이디	프로토콜 구분	최근 수정일시	사용여부	공개여부
1	OFF	KIT BUZZER E	KIT BUZZER E	682153	플랫폼 표준	2017-09-06 16:29	ENABLED	PRIVATE
2	OFF	KIT SERVO E	KIT SERVO E	602104	플랫폼 표준	2017-09-06 13:24	ENABLED	PRIVATE
3	ON	KIT TEMP E	KIT TEMP E	588013	플랫폼 표준	2017-09-05 18:13	ENABLED	PRIVATE
4	OFF	KIT LIGHT E	KIT LIGHT E	147790	플랫폼 표준	2017-09-05 15:02	ENABLED	PRIVATE
5	ON	KIT FND E	KIT FND E	561093	플랫폼 표준	2017-08-31 16:32	ENABLED	PRIVATE
6	OFF	KIT LED E	KIT LED E	315454	플랫폼 표준	2017-08-31 09:47	ENABLED	PRIVATE

[그림 14-13] 디바이스 상태 변경

14.3 Event 만들기

14.3.1 Event 생성

① 'IoT 개발 〉 이벤트 관리'를 선택한다.

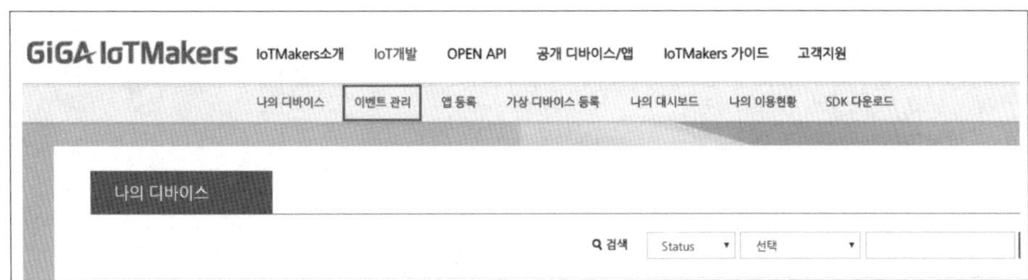

[그림 14-14] 이벤트 관리 선택

② '이벤트 등록' 버튼을 눌러 새로운 이벤트를 등록한다.

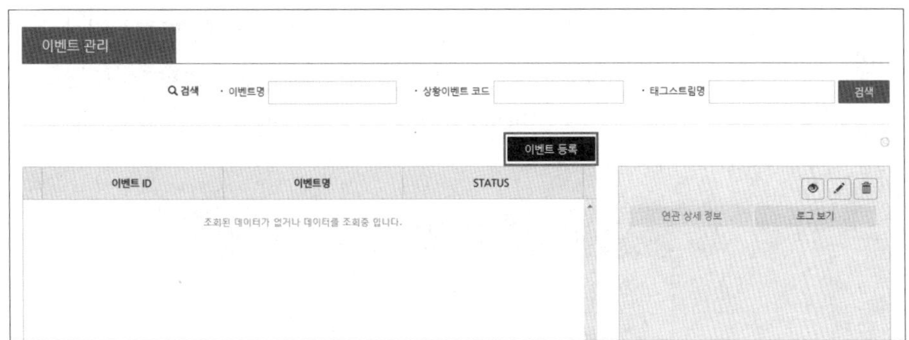

[그림 14-15] 이벤트 등록 선택

③ 데이터를 받아올 디바이스를 지정하기 위하여 Input의 '디바이스 데이터' 블록을 이벤트 보드에 드래그하여 생성한다.

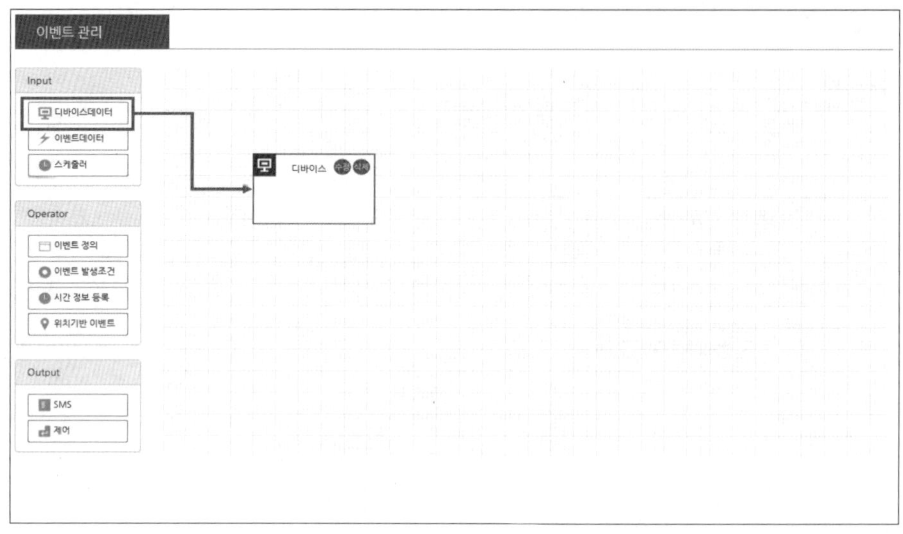

[그림 14-16] 디바이스 데이터

④ 생성한 블록을 더블클릭하거나 수정 버튼을 눌러 데이터를 가져올 디바이스를 설정한다. 온도센서 값을 읽어 오기 위하여 앞에서 생성한 온도센서 디바이스 'KIT TEMP E'를 선택한다. 자동으로 디바이스 아이디가 나타나며 설정을 저장한다.

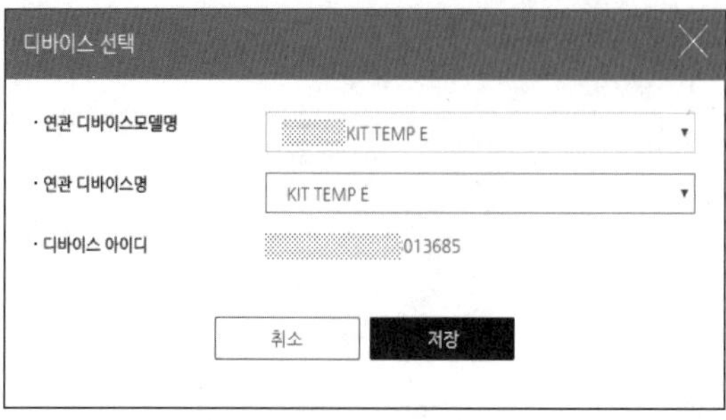

[그림 14-17] 디바이스 선택

⑤ 이벤트를 생성하기 위하여 Operator의 '이벤트 정의' 블록을 드래그하여 생성한다.

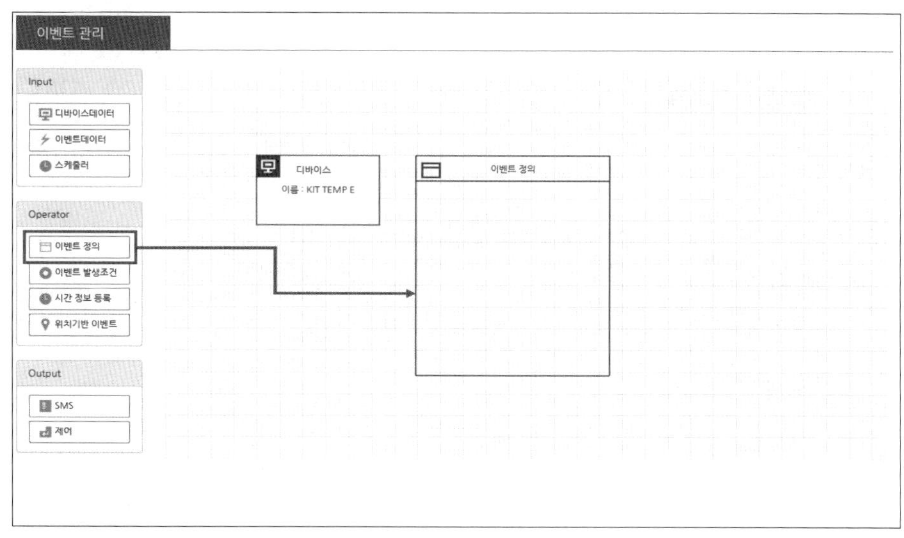

[그림 14-18] 이벤트 정의

⑥ 블록을 더블클릭하여 이벤트의 기본 정보를 등록한다. 이벤트 구분은 기본 설정으로 두고, 이벤트 명은 '온도와 FND 제어'로 생성한다. 비고는 이벤트에 대한 자세한 설명을 작성할 수 있다(입력하지 않아도 상관없다.) 등록된 정보를 저장한다.

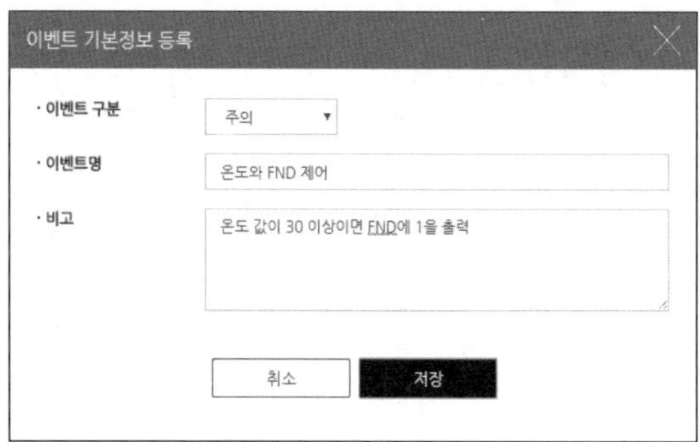

[그림 14-19] 이벤트 기본 정보 등록

⑦ 온도센서 디바이스의 입력 데이터를 받아올 수 있도록 디바이스와 이벤트 정의를 연결한다. 연결 방법은 디바이스 블록에 마우스를 올리면 연결할 수 있는 점이 나타난다. 이 점을 클릭하여 연결하고자 하는 블록에 끌어다 놓으면 연결이 완성된다.

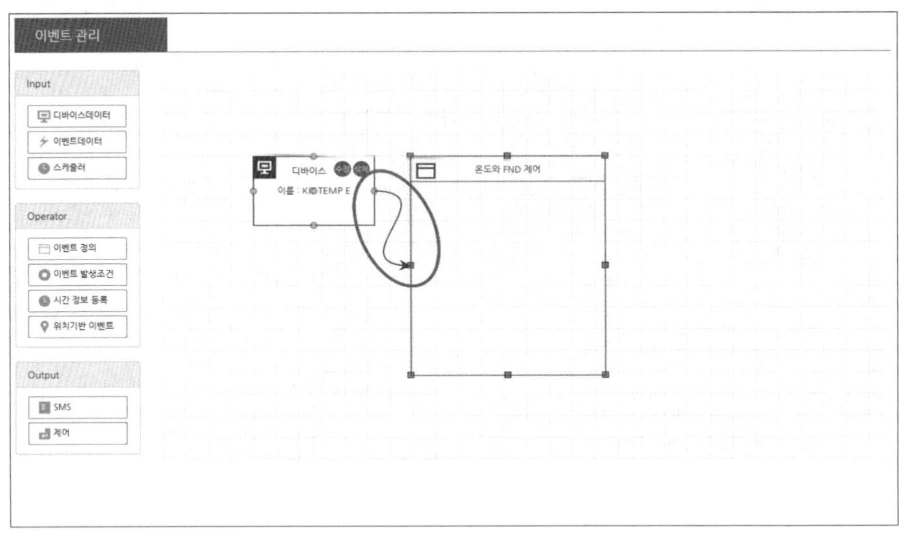

[그림 14-20] 블록 연결

⑧ 이벤트가 발생하기 위한 조건을 설정하기 위하여 Operator의 '이벤트 발생 조건' 블록을 '이벤트 정의' 블록 안으로 드래그하여 생성한다.

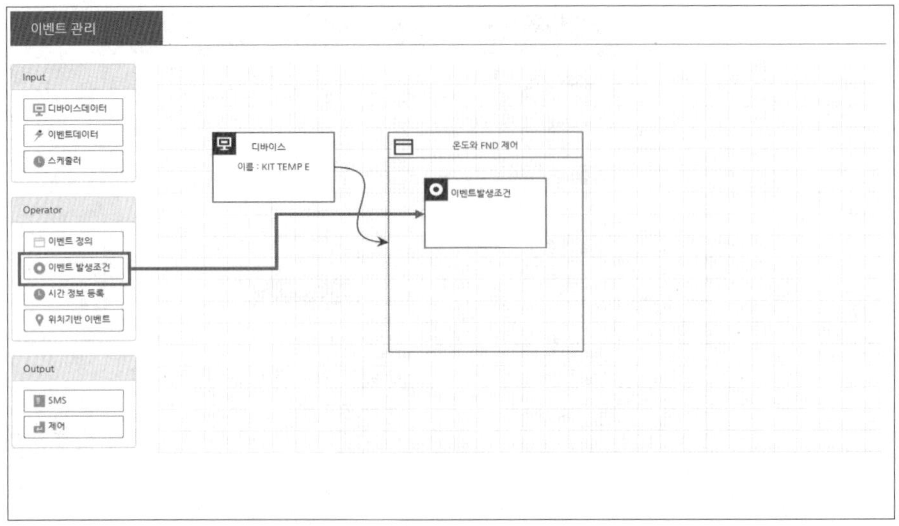

[그림 14-21] 이벤트 발생 조건

⑨ 블록을 더블클릭하여 이벤트 발생 조건을 등록한다. 온도센서의 데이터가 30도 이상 일 경우에 이벤트를 발생시키기 위하여 논리식을 입력한다. '디바이스 데이터'를 선택하고 온도센서의 TAG ID와 조건, 값을 차례로 입력한다.

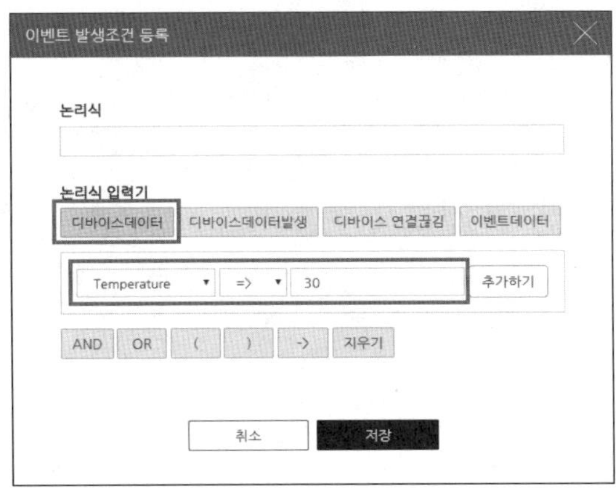

[그림 14-22] 이벤트 발생 조건 등록

⑩ '추가하기' 버튼을 누르면 설정한 논리식이 상단에 표시되는 것을 확인할 수 있다. 입력한 논리식이 맞는지 확인 후 저장한다.

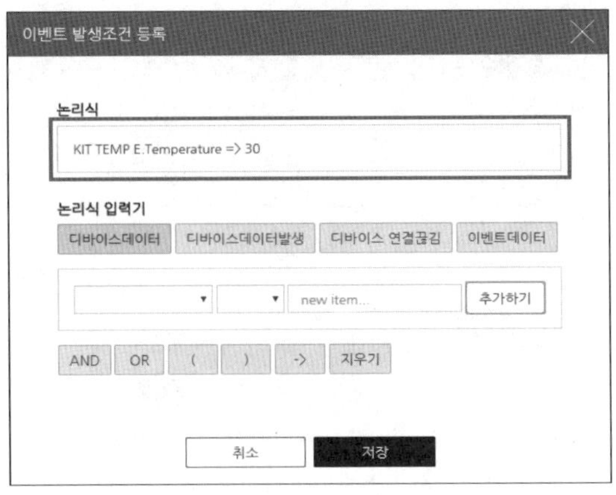

[그림 14-22] 이벤트 발생 조건 추가

⑪ 제어 방법을 설정하기 위하여 Output의 '제어' 블록을 드래그하여 생성한다.

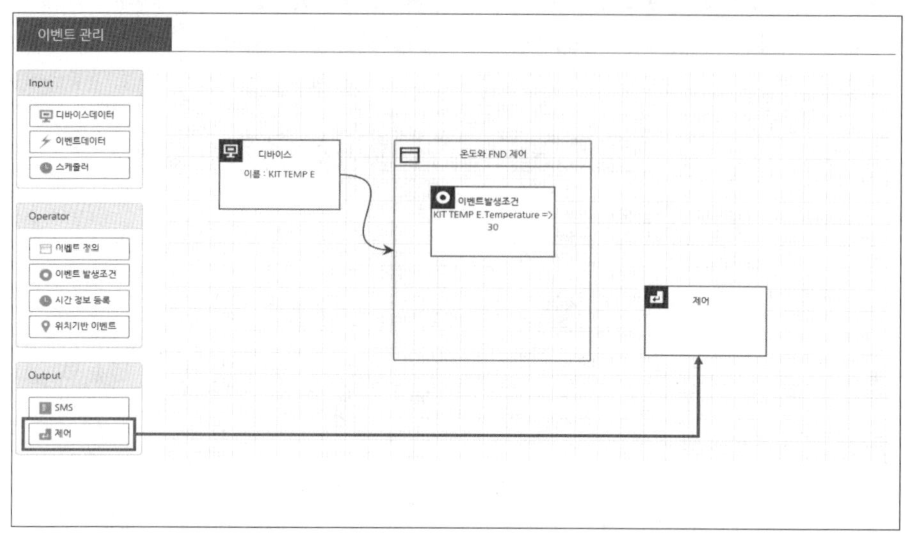

[그림 14-23] 제어

⑫ 블록을 더블클릭하여 수행할 제어를 설정한다. FND를 제어하기 위하여 앞에서 생성한 FND 디바이스 'KIT FND E'를 선택한다. TAG ID를 'FND', 타입은 'INT'로 선택한 후 제어값은 '1'로 입력한다.

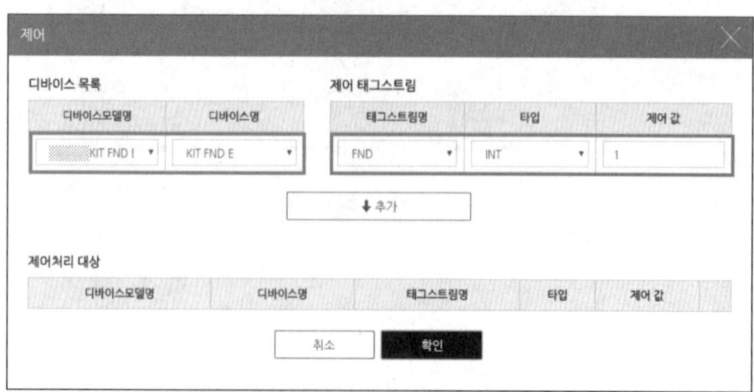

[그림 14-24] 제어 설정

⑬ '추가' 버튼을 누르면 설정한 제어값이 하단에 표시되는 것을 확인할 수 있다. 설정한 제어값이 맞는지 확인한다.

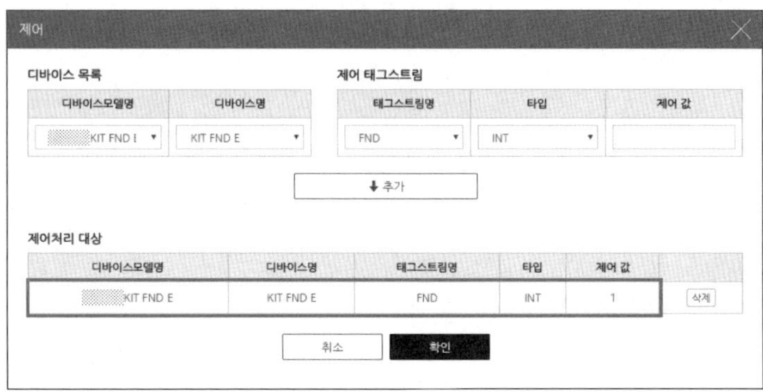

[그림 14-25] 제어 설정 추가

⑭ 발생 조건이 만족하면 제어가 될 수 있도록 이벤트 정의와 제어를 연결한다. 연결 방법은 디바이스 블록에 마우스를 올리면 연결할 수 있는 점이 나타난다. 이 점을 클릭하여 연결하고자 하는 블록에 끌어다 놓으면 연결이 완성된다.

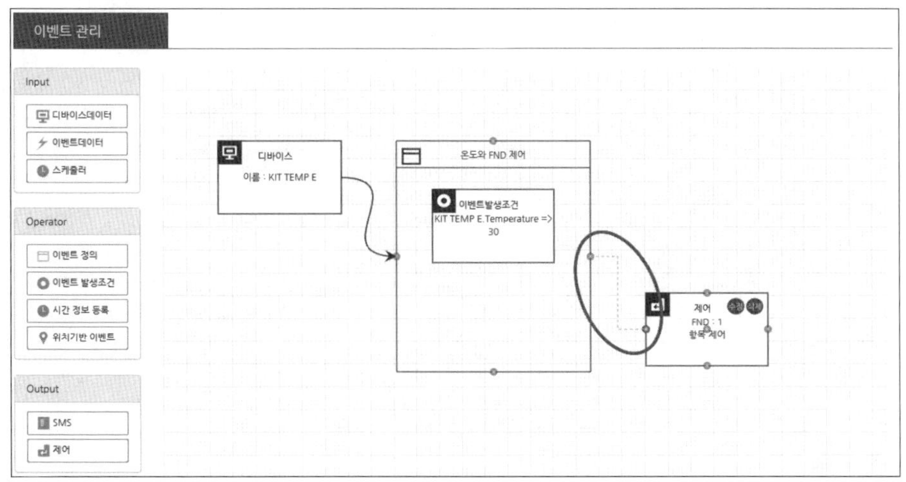

[그림 14-26] 블록 연결

⑮ 설정이 완료되면 우측 하단의 저장 버튼을 눌러 Event를 저장한다.

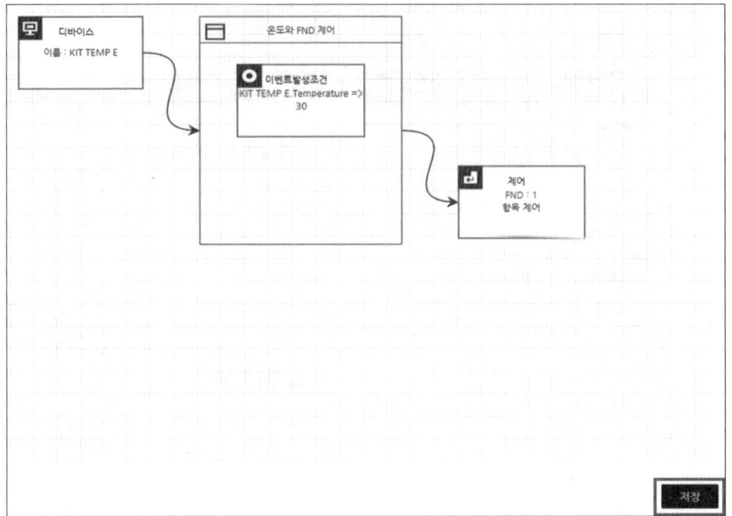

[그림 14-27] 이벤트 저장

⑯ 생성된 이벤트를 확인한다. 이벤트는 최초 생성되었을 때 ON 상태로 되어 있고, STATUS를 OFF로 하면 이벤트를 중지할 수 있다.

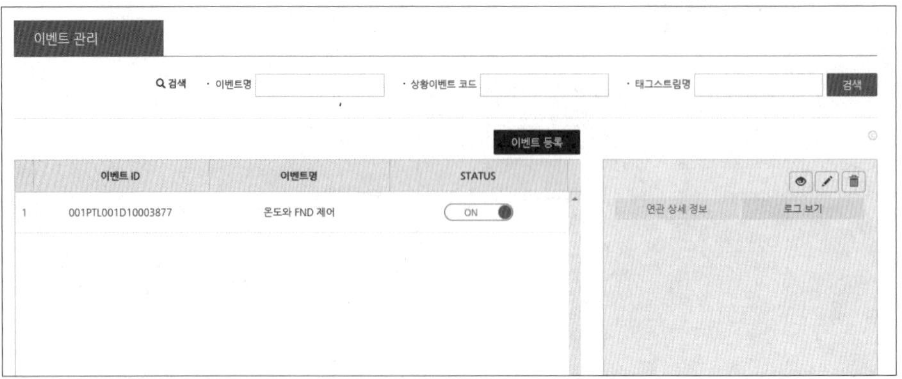

[그림 14-28] 이벤트 리스트

14.3.2 실행 결과

온도센서의 값이 30 이상으로 출력되면 FND에 1이 출력되는 것을 확인할 수 있다.

[그림 14-29] FND 출력

또한 시리얼 모니터에도 온도값과 FND 출력 숫자값이 각각 출력되는 것을 확인할 수 있다.

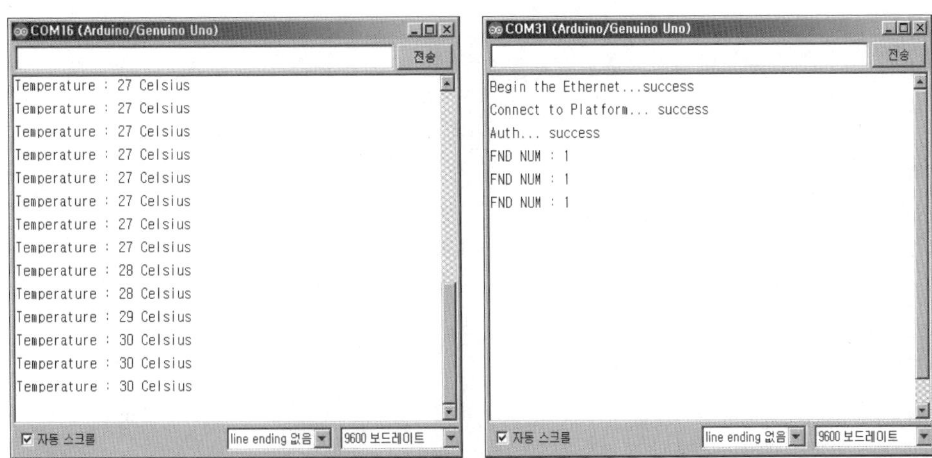

[그림 14-30] 시리얼 모니터 출력

14.4 과제

1) 온도센서의 값이 30 미만일 때 FND에 숫자 '5'가 출력되는 이벤트를 만들어 본다.
2) 다음과 같은 조건으로 4개의 이벤트를 만들어 온도센서의 특정 값마다 FND에 다른 숫자가 출력되는 이벤트를 만들어 본다.

▶ 20 이상 23 미만 - FND 숫자 '1' 출력

▶ 23 이상 26 미만 - FND 숫자 '2' 출력

▶ 26 이상 29 미만 - FND 숫자 '3' 출력

▶ 29 이상 32 미만 - FND 숫자 '4' 출력

3

무선으로 실습하는 IoT

〈국가직무능력표준 기반〉 NCS 아두이노 KIT를 이용한 IOT 개발 실무

SECTION 3

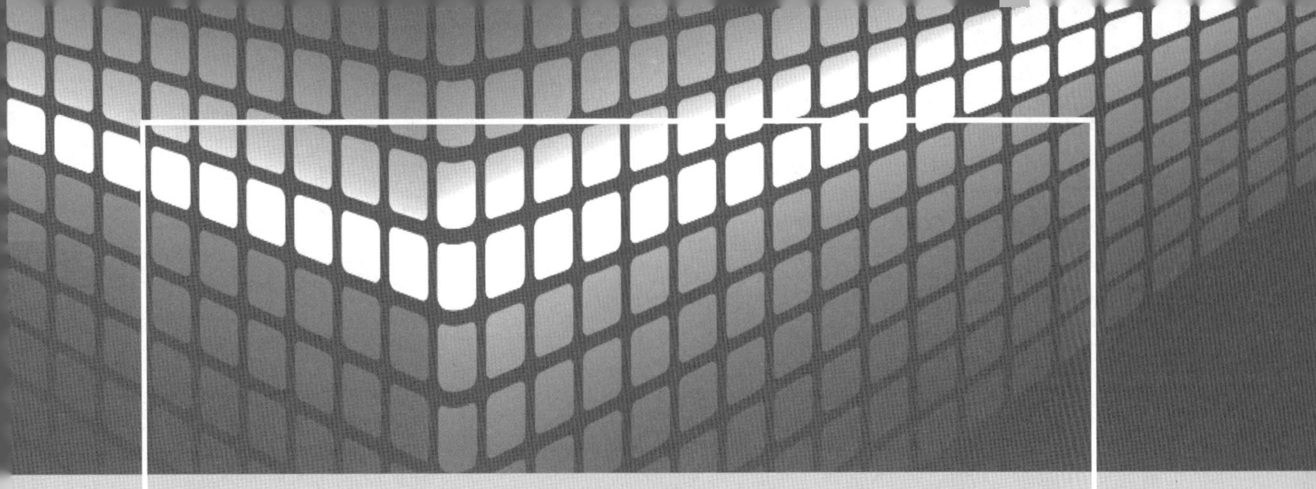

4차 산업혁명 요소 기술 아두이노를 이용한 IoT 디바이스 개발 실무

무선으로 실습하는 IoT
- 온도센서 모듈 모니터링

PART 15 무선으로 실습하는 IoT-온도센서 모듈 모니터링

실습 목표

- ▶ WiFi 통신을 이용한 KT Platform의 접속 및 인증을 실행할 수 있다.
- ▶ IoTMakers를 이용하여 온도센서 모듈의 센서값을 모니터링할 수 있다.

15.1 하드웨어 구성 확인하기

하드웨어 구성은 '아두이노를 이용한 온도센서 모듈 모니터링'과 동일하므로 생략한다.

▣ WiFi 통신 시스템 구성도

WiFi는 무선으로 통신하는 대표적인 장치이다. 그러므로 WiFi 통신 연결 순서와 시스템에 대한 구성을 이해하여야 한다.

다음은 KT Platform과 Starter Kit의 통신 연결 순서이다. WiFi 통신을 이용하기 위해 센서 또는 제어 모듈을 장착한 Starter Kit를 가장 먼저 무선 공유기(AP)에 연결하게 된다. 여기서 무선 공유기의 역할은 WiFi 통신으로 IoT Starter Kit와 KT Platform을 연결하는 중간 매체의 역할을 한다. 무선 공유기에 연결이 성공하면 Starter Kit는 무선 공유기를 경유하여 KT Platform에 접속한다.

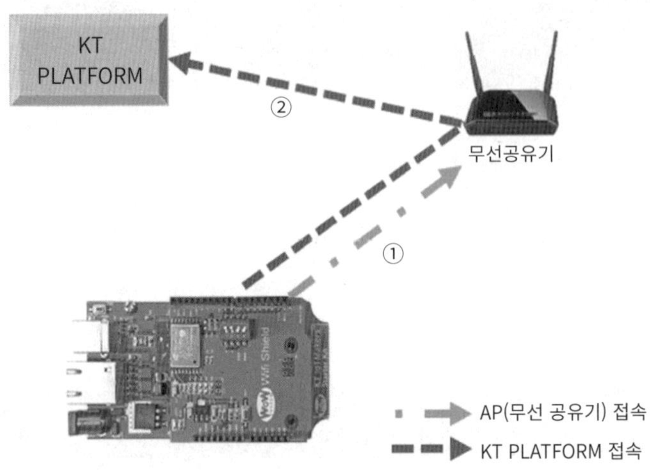

[그림 15-1] WiFi 통신 연결 1

다음은 KT Platform과 Starter Kit의 데이터 통신 구조이다. Starter Kit는 사용하려는 디바이스의 ID와 Password, System ID 값으로 인증을 요청한다. KT Platform으로부터 인증 승인이 완료되면 Starter Kit는 데이터를 구성하여 KT Platform으로 전송한다. 모듈을 제어하는 경우, KT Platform에서 제어 데이터가 입력되면 그 값이 AP를 통하여 디바이스로 전송된다.

[그림 15-2] WiFi 통신 연결 2

15.2 개발 환경 구축

15.2.1 결선 방법 및 디바이스 생성

(1) 결선 방법

온도센서 모듈의 경우 아래 그림과 같이 장비의 아래쪽에 모듈을 연결할 수 있는 컨넥터가 있다. 모듈을 연결 시 Starter Kit와 모듈의 연결 부분에 화살표가 마주 보는 상태로 연결되어야 한다.

만약 모듈을 뒤집어서 연결할 경우, VCC와 GND 전원 연결 핀이 반대로 연결되어 고장이 일어날 수 있으므로 뒤집어서 연결하지 않도록 주의한다.

[그림 15-3] 모듈 컨넥터

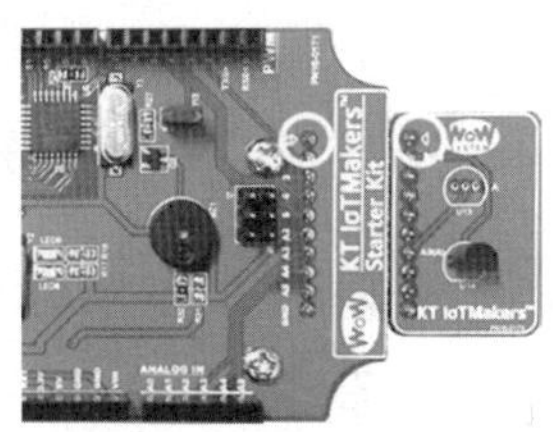

[그림 15-4] 모듈 연결 방법

WiFi Shield의 경우 장비의 윗면의 좌·우에 연결을 위한 컨넥터가 있다. WiFi Shield를 연결할 때, Shield 하단의 핀이 휘어지지 않도록 주의하여 연결한다.

[그림 15-5] WiFi 통신 연결 2

(2) 디바이스 생성

① KT IoTMakers 플랫폼에서 'IoT 개발 〉 나의 디바이스'를 선택한다.

[그림 15-6] 나의 디바이스 선택

② 디바이스 생성을 위해 '디바이스 생성' 버튼을 눌러 준다. 처음 디바이스를 생성한 경우 아래와 같은 화면을 볼 수 있다.

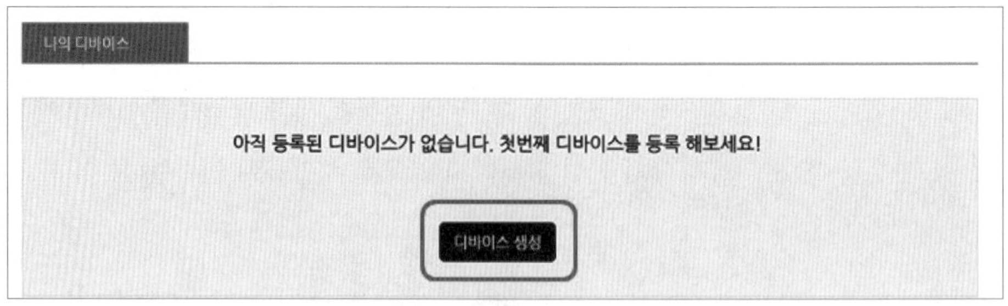

[그림 15-7] 디바이스 생성

③ 디바이스 명은 'KIT TEMP W'로 입력하고 디바이스 아이디와 패스워드는 기본으로 주어지는 값을 사용한다. 만약 변경을 원할 경우에는 '수정' 버튼을 선택하여 변경할 수 있다. 프로토콜 유형은 'KT Standard I/F'의 'TCP' 통신 프로토콜을 사용한다.

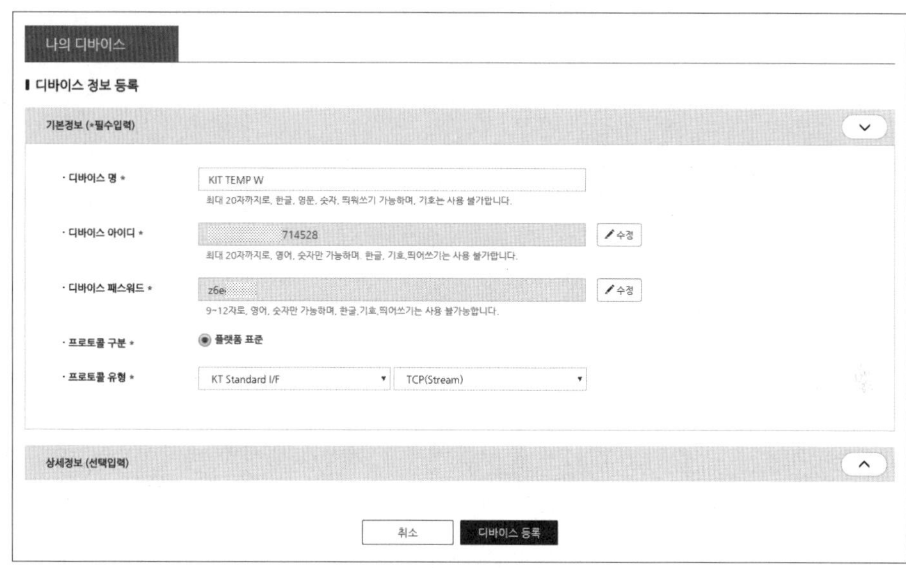

[그림 15-8] 디바이스 정보 등록

④ 생성된 디바이스를 선택하면 디바이스에 대한 상세 정보를 확인할 수 있다.

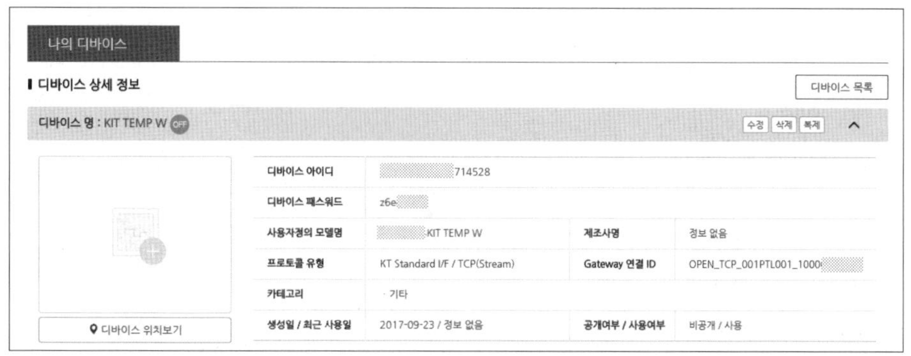

[그림 15-9] 디바이스 정보 확인

15.2.2 펌웨어 설명

WiFi 통신을 사용하기 위해 'WiFi' 라이브러리와 WiFi 통신의 Starter Kit를 위한 'IoTStarterKit_WiFi' 라이브러리를 추가한다. 또한, 디지털 온도센서를 사용하기 위하여 'OneWire', 'DallasTemperature' 라이브러리를 추가로 정의한다.

```
#include <WiFi.h>
#include <IoTStarterKit_WiFi.h>
#include <OneWire.h>
#include <DallasTemperature.h>
```

KT IoTMakers 플랫폼과 연결을 위해 앞에서 생성한 디바이스의 등록정보를 입력한다.

- deviceID ⇒ KT IoTMakers 플랫폼에서 사용자가 생성한 디바이스 아이디를 입력
- authnRqtNo ⇒ KT IoTMakers 플랫폼에서 생성된 디바이스 패스워드를 입력
- extrSysID ⇒ KT IoTMakers 플랫폼에서 생성된 Gateway 연결 ID를 입력

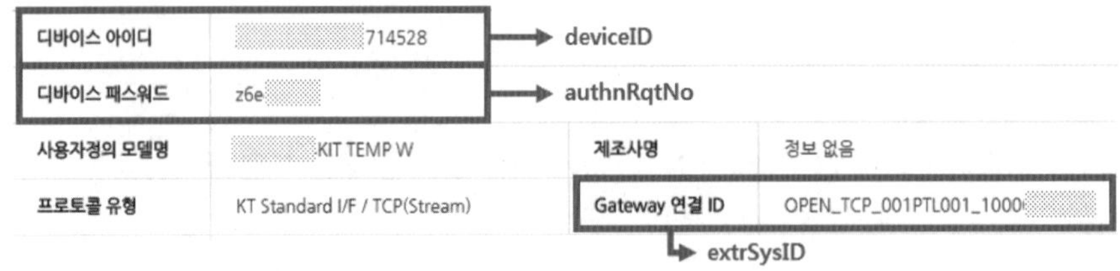

[그림 15-10] 사용자의 등록 정보

```
/* IoTMakers */
IoTStarterKit_Eth g_im;

// 사용자의 정보 입력
#define deviceID   "**************714528"
#define authnRqtNo "z6e******"
#define extrSysID  "OPEN_TCP_001PTL001_1000******"
```

WiFi 통신을 사용하기 위해 사용자 AP 공유기의 WiFi SSID와 PASSWORD를 입력한다. (본 예시의 WiFi SSID는 'WOWEDU001'을 사용한다.)

```
/* WiFi Shield */
#define WiFi_SSID   "WOWEDU001"                //와이파이 SSID
#define WiFi_PASS   "********"                //와이파이 비밀번호
```

온도센서가 연결되어 있는 핀과 KT IoTMakers 플랫폼에서 사용할 TAG ID를 정의한다. 모듈의 DS18 센서 핀은 2번에 연결되어 있으며, TAG ID는 'Temperature'로 정의한다. 또한, OneWire와 DallasTemperature 라이브러리의 객체를 각각 선언하고 사용할 수 있도록 연결한다.

```
/* Arduino */
#define ONE_WIRE_BUS 2
#define TAG_ID "Temperature"

OneWire ourWire(ONE_WIRE_BUS);
DallasTemperature sensors(&ourWire);
```

'init_iotmakers()' 함수는 KT IoTMakers 플랫폼 접속을 위한 과정이다. IoT 실습을 위해서는 첫 번째로 인터넷에 연결하고, 두 번째로 KT IoTMakers 플랫폼에 연결 후 마지막으로 플랫폼으로부터 인증을 받아야 한다.

첫 번째 단계인 인터넷 연결을 위해 시리얼 모니터에 “Connect to AP…”를 출력하고 AP 공유기의 SSID와 PASSWORD 값을 이용하여 WiFi를 시작한다. 접속에 성공하면 시리얼 모니터에 “success”를 출력하고 실패하면 “retrying.”을 출력한다.

```
void init_iotmakers()
{
 while(1)
 {
  // AP 접속
  Serial.print(F("Connect to AP..."));
  while(g_im.begin(WiFi_SSID, WiFi_PASS)<0)
  {
   Serial.println(F("retrying."));
   delay(1000);
  }
  Serial.println(F("success"));
```

인터넷에 연결되면 KT IoTMakers 디바이스 등록 정보(deviceID, authnRqtNo, extrSysID)로 연결을 초기화한다.

두 번째 단계인 KT IoTMakers 플랫폼에 연결을 위해 시리얼 모니터에 “Connect to Platform…”을 출력한다. 연결이 성공하면 시리얼 모니터에 “success”를 출력하고 실패하면 “retrying.”을 출력한다.

```
  // 인자값으로 받은 정보로 KT IoT Makers 접속
  g_im.init(deviceID, authnRqtNo, extrSysID);

  // IoTMakers 플랫폼 연결
  Serial.print(F("Connect to platform... "));
  while ( g_im.connect() < 0 )
  {
   Serial.println(F("retrying."));
   delay(1000);
  }
  Serial.println(F("success"));
```

마지막 단계인 KT IoTMakers 플랫폼에 디바이스 인증을 받기 위해 시리얼 모니터에 "Auth..."를 출력한다. 앞에서 사용자가 입력한 디바이스 아이디(deviceID), 디바이스 패스워드(authnRqtNo), Gateway 연결 ID(extrSysID)를 플랫폼에 넘겨 준다. 인증에 성공하면 "success"를 출력하고 실패하면 "fail"을 시리얼 모니터에 출력한다.

```
  //IoTMakers 플랫폼 인증
  Serial.print(F("Auth... "));
  if(g_im.auth_device() >= 0)
  {
   Serial.println(F("success "));
   return;
  }
  Serial.println(F("fail"));
 }
}
```

'setup()' 함수에서는 시리얼 모니터를 사용하기 위해 통신 속도를 9600으로 설정 후 초기화한다. DS18 센서가 연결된 핀을 입력으로 설정한다. 마지막으로 IoT Starter Kit와 IoTMakers 플랫폼을 초기화한다.

```
void setup()
{
 Serial.begin(9600);

 sensors.begin();

 init_iotmakers();
}
```

'loop()' 함수에서는 IoTMakers 플랫폼에 접속이 종료되었을 경우 'init_iotmakers()' 함수를 호출하여 재접속을 실행한다. 1초 단위로 'send_temperature()' 함수를 호출하여 센서값을 확인하고, 'g_im.loop()' 함수를 반복적으로 호출하여 IoTMakers 플랫폼으로부터 전송된 데이터가 있는지 확인한다.

```
void loop()
{
  static unsigned long tick = millis();

  // 만약 플랫폼 접속이 종료되었을 경우 다시 접속
  if(g_im.isServerDisconnected() == 1)
  {
    init_iotmakers();
  }

  // 센서값을 읽어 오는 시간 설정
        if ( ( millis() - tick) > 1000 )
        {
                send_temperature();
                tick = millis();
        }

        // IoTMakers 플랫폼 수신 처리 및 keepalive 송신
        g_im.loop();
}
```

'send_temperature()' 함수는 온도센서의 값을 측정하는 함수이다. 'sensors.requestTemperatures()' 함수를 이용하여 온도센서의 값을 읽어 온다. 그리고 섭씨의 값을 출력하는 'getTempCByIndex()' 함수로 섭씨로 변환한 후 'data' 변수에 저장한다.

시리얼 모니터에 센서값을 출력하고, IoTMakers에 등록한 Tag ID 값에 'send_numdata()' 함수를 이용하여 숫자형 수집 데이터를 전송한다. 이때 펌웨어에서 작성한 Tag ID 값과 IoTMakers에 등록한 Tag Stream ID 값이 같아야 한다.

```
int send_temperature()
{
  // 센서값을 읽어 온다.
  sensors.requestTemperatures();
  int data = sensors.getTempCByIndex(0);

  Serial.print("Temperature : ");
  Serial.print(data);
  Serial.println(" Celsius");

  if ( g_im.send_numdata(TAG_ID, (double)data) < 0 ) {
    Serial.println(F("fail"));
    return -1;
  }
  return 0;
}
```

15.3 펌웨어 연동 및 테스트

15.3.1 장비 결선 및 업로드

(1) 태그 스트림 생성

① '태그 스트림 생성' 버튼을 눌러 태그 스트림을 생성한다.

[그림 15-11] 태그 스트림 생성

② 실습에 사용할 온도센서 모듈의 태그 스트림을 생성한다. Tag Stream ID는 'Temperature', Tag Stream Type은 '수집', Value는 '숫자 형식'으로 설정 후 '생성' 버튼을 선택한다.

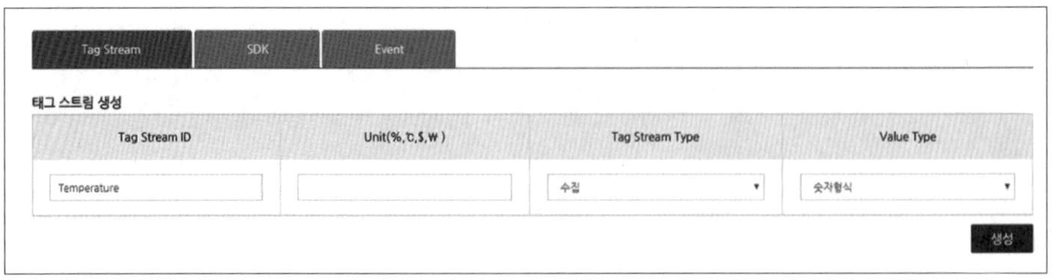

[그림 15-12] 태그 스트림 생성 조건

③ 태그 스트림 생성이 완료되면 태그 스트림 목록에 등록한 Tag Stream ID가 나타난다.

[그림 15-13] 태그 스트림 목록

(2) 장비 결선 및 펌웨어 업로드

① Starter Kit를 PC와 USB Cable로 연결한다.

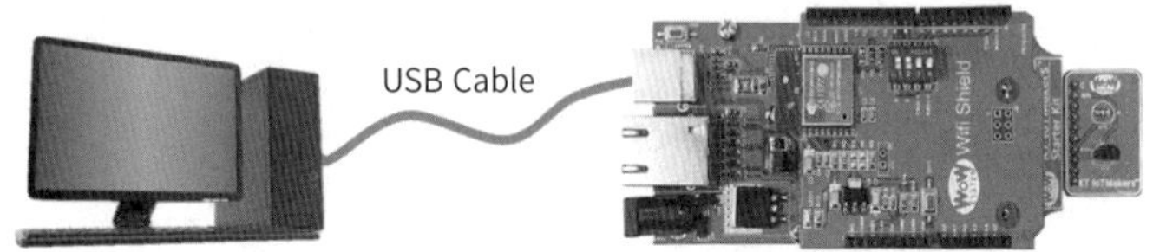

[그림 15-14] PC와 Starter Kit 연결

② '툴-보드'에서 'Arduino/Genuino Uno'를 선택한다.

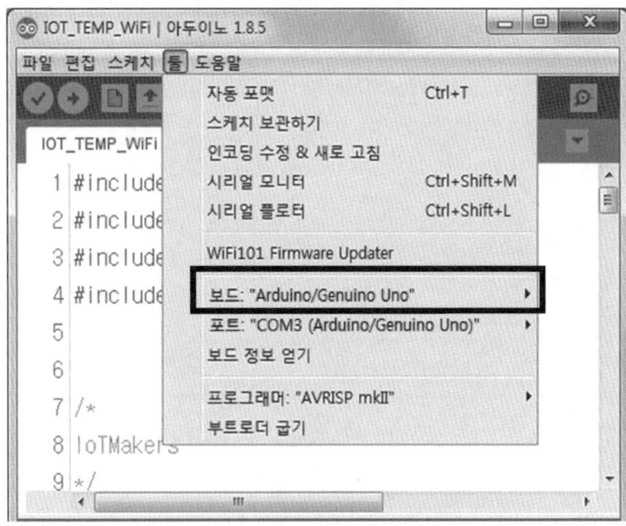

[그림 15-15] Arduino 보드 선택

③ USB로 연결된 장비의 해당 포트를 선택한다. (본 실습 환경에서 사용한 포트는 'COM3'이다.)

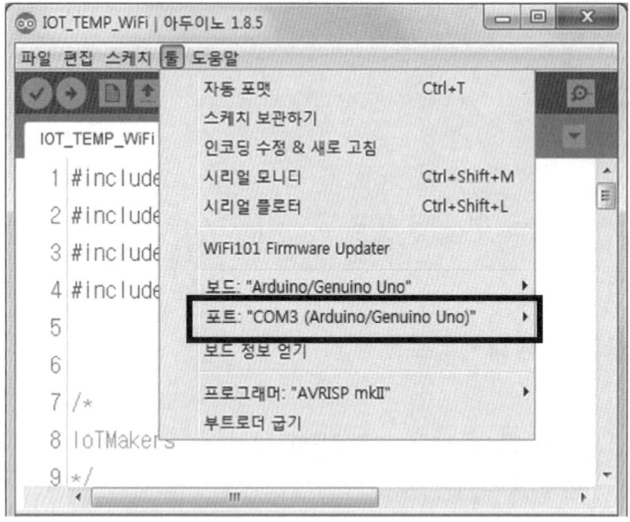

[그림 15-16] Arduino 포트 선택

④ '컴파일 및 업로드' 버튼을 선택한다.

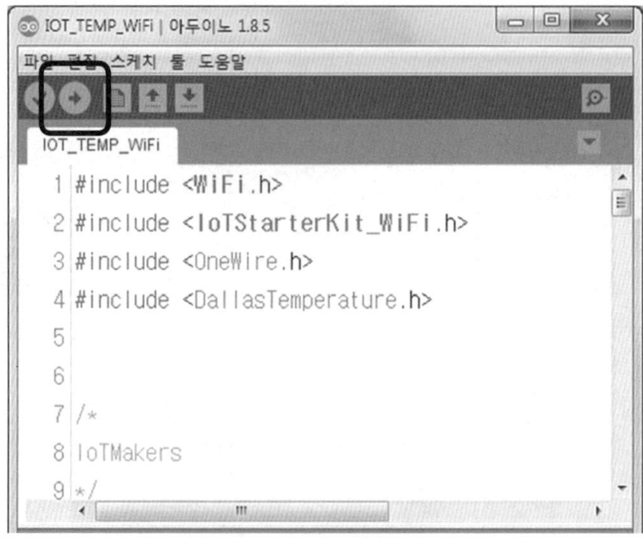

[그림 15-17] 컴파일 및 업로드

⑤ 시리얼 모니터를 실행한다.

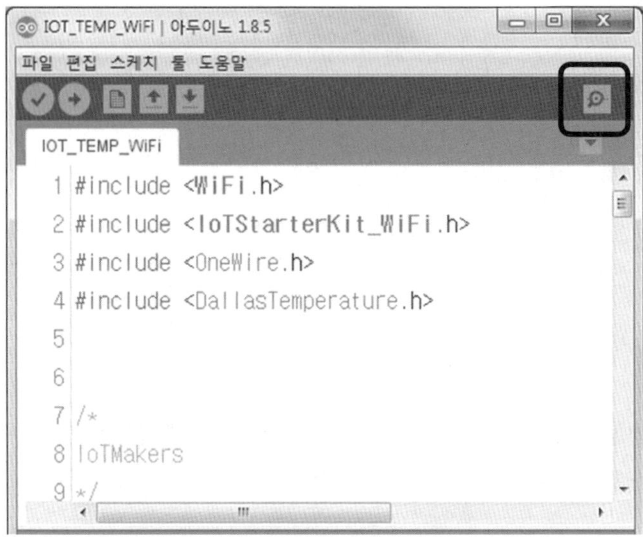

[그림 15-18] 시리얼 모니터 실행

15.3.2 실행 결과

① 시리얼 모니터를 통하여 IoTMakers 플랫폼에 연결되는 과정을 확인할 수 있다.

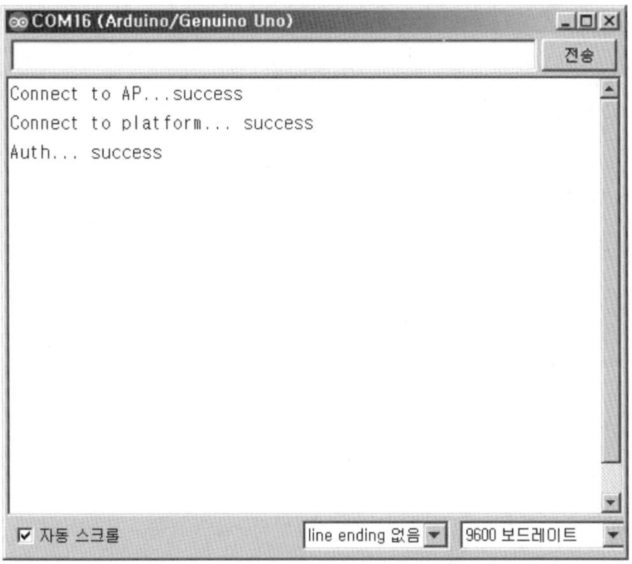

[그림 15-19] 연결 상태 확인

② 디바이스와 연결이 성공하면 IoTMakers의 디바이스 연결 상태가 'ON'으로 변경되는 것을 확인할 수 있다.

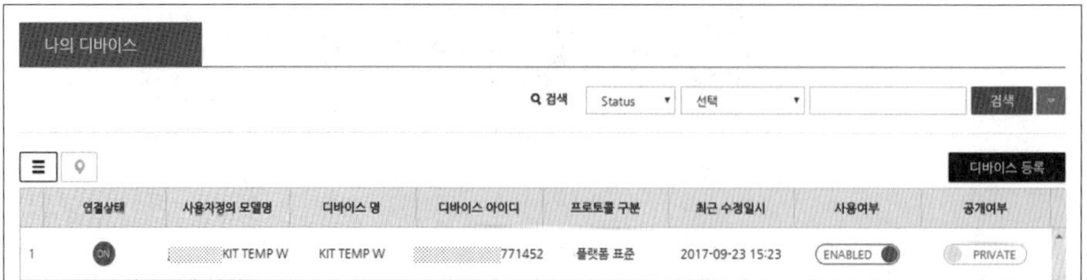

[그림 15-20] 디바이스 상태 변경

③ 앞에서 생성한 태그 스트림 목록에서 'Temperature'를 선택하면 온도센서로부터 읽어온 센서값이 출력되는 것을 확인할 수 있다.

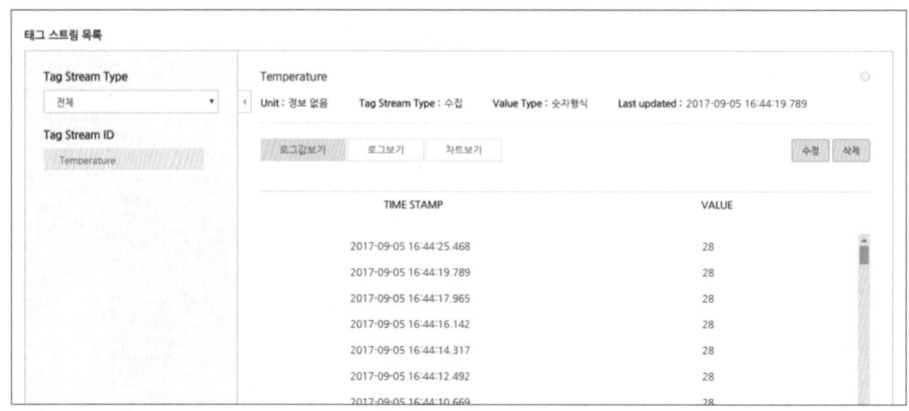

[그림 15-21] 센서값 모니터링

④ 시리얼 모니터에도 조도센서값이 함께 출력되는 것을 확인할 수 있다.

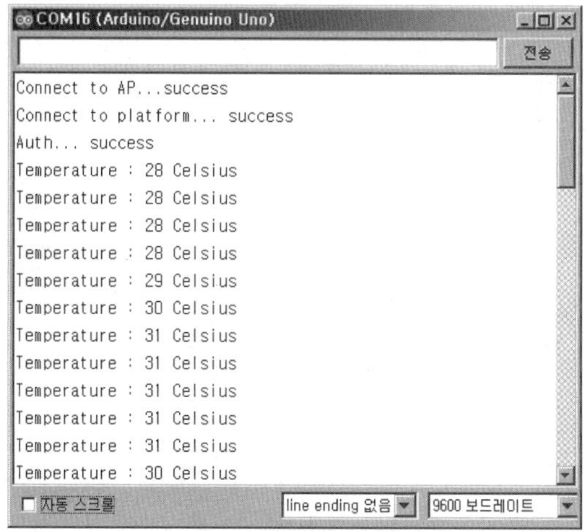

[그림 15-22] 연결 상태 확인

15.4 과제

1) KT Platform에서 'TEMP'라는 숫자형 수집 Tag Stream ID를 만들었을 때 센서값이 전송되도록 펌웨어를 작성한다.
2) KT Platform에서 온도센서의 값이 30도 이상일 때, 센서값이 출력되도록 펌웨어를 작성한다. (온도센서의 값이 30도 이하일 경우에는 KT Platform에 출력하지 않음)

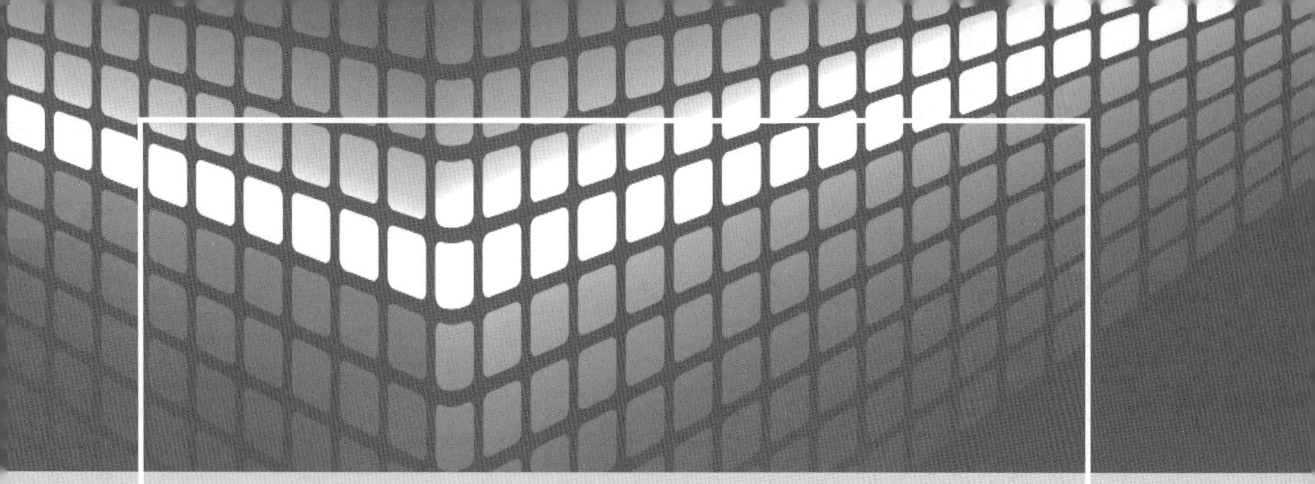

PART
16

무선으로 실습하는 IoT
- 조도센서 모듈 모니터링

PART 16 무선으로 실습하는 IoT - 조도센서 모듈 모니터링

실습 목표

- WiFi 통신을 이용한 KT Platform의 접속 및 인증을 실행할 수 있다.
- IoTMakers에서 LIGHT 센서 모듈을 모니터링할 수 있다.

16.1 하드웨어 구성 확인하기

하드웨어 구성은 '아두이노를 이용한 조도센서 모듈 모니터링'과 동일하므로 생략한다.

16.2 개발 환경 구축

16.2.1 결선 방법 및 디바이스 생성

(1) 결선 방법

조도센서 모듈의 경우 아래와 같이 장비의 아래쪽에 모듈을 연결할 수 있는 컨넥터가 있다. 모듈을 연결 시 Starter Kit와 모듈의 연결 부분에 화살표가 마주 보는 상태로 연결되어야 한다.

만약 모듈을 뒤집어서 연결할 경우, VCC와 GND 전원 연결 핀이 반대로 연결되어 고장이 일어날 수 있으므로 뒤집어서 연결하지 않도록 주의한다.

[그림 16-1] 모듈 컨넥터

[그림 16-2] 모듈 연결 방법

WiFi Shield의 경우 장비의 윗면의 좌·우에 연결을 위한 컨넥터가 있다. WiFi Shield를 연결할 때, Shield 하단의 핀이 휘어지지 않도록 주의하여 연결한다.

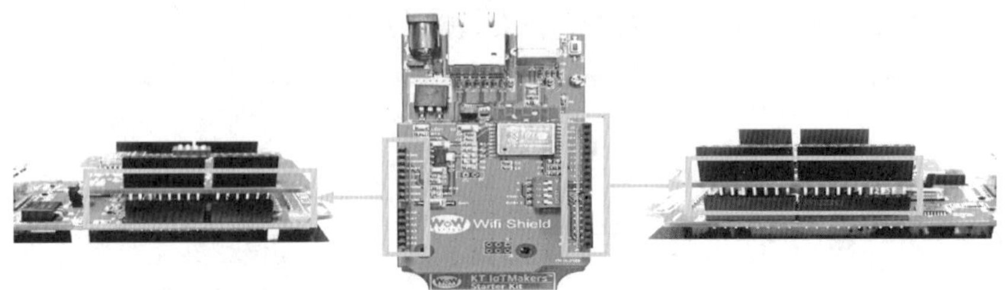

[그림 16-3] WiFi 통신 연결 2

(2) 디바이스 생성

① KT IoTMakers 플랫폼에서 'IoT 개발 〉 나의 디바이스'를 선택한다.

[그림 16-4] 나의 디바이스 선택

② 디바이스 생성을 위해 '디바이스 생성' 버튼을 눌러 준다. 처음 디바이스를 생성한 경우 아래와 같은 화면을 볼 수 있다.

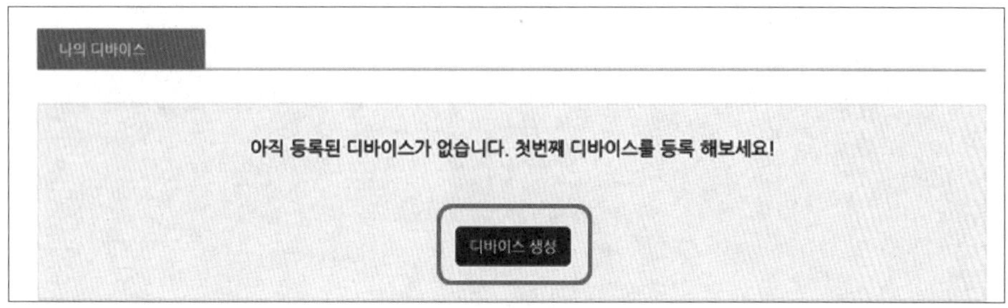

[그림 16-5] 디바이스 생성

③ 디바이스 명은 'KIT LIGHT W'로 입력하고 디바이스 아이디와 패스워드는 기본으로 주어지는 값을 사용한다. 만약 변경을 원할 경우에는 '수정' 버튼을 선택하여 변경할 수 있다. 프로토콜 유형은 'KT Standard I/F'의 'TCP' 통신 프로토콜을 사용한다.

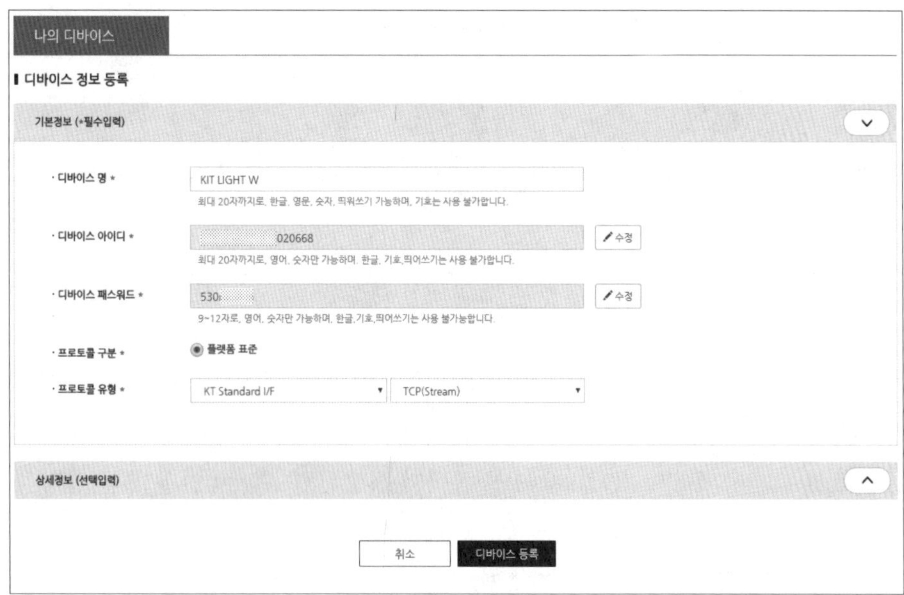

[그림 16-6] 디바이스 정보 등록

④ 생성된 디바이스를 선택하면 디바이스에 대한 상세 정보를 확인할 수 있다.

[그림 16-7] 디바이스 정보 확인

16.2.2 펌웨어 설명

WiFi 통신을 사용하기 위해 'WiFi' 라이브러리와 WiFi 통신의 Starter Kit를 위한 'IoTStarterKit_WiFi' 라이브러리를 추가한다.

```
#include <WiFi.h>
#include <IoTStarterKit_WiFi.h>
```

KT IoTMakers 플랫폼과 연결을 위해 앞에서 생성한 디바이스의 등록 정보를 입력한다.

- deviceID ⇒ KT IoTMakers 플랫폼에서 사용자가 생성한 디바이스 아이디를 입력
- authnRqtNo ⇒ KT IoTMakers 플랫폼에서 생성된 디바이스 패스워드를 입력
- extrSysID ⇒ KT IoTMakers 플랫폼에서 생성된 Gateway 연결 ID를 입력

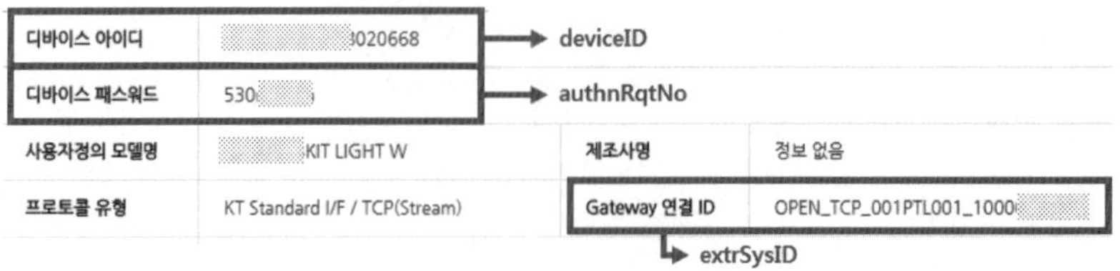

[그림 16-8] 사용자의 등록 정보

```
/* IoTMakers */
IoTStarterKit_Eth g_im;

// 사용자의 정보 입력
#define deviceID    "**************020668"
#define authnRqtNo  "530******"
#define extrSysID   "OPEN_TCP_001PTL001_1000******"
```

WiFi 통신을 사용하기 위해 사용자 AP 공유기의 WiFi SSID와 PASSWORD를 입력한다. (본 예시의 WiFi SSID는 'WOWEDU001'을 사용한다.)

```
/* WiFi Shield */
#define WiFi_SSID   "WOWEDU001"          //와이파이 SSID
#define WiFi_PASS   "*********"          //와이파이 비밀번호
```

조도센서가 연결되어 있는 핀과 KT IoTMakers 플랫폼에서 사용할 TAG ID를 정의한다. 모듈의 CDS 센서 핀은 A3번에 연결되어 있으며, TAG ID는 'Light'로 정의한다.

```
/* Arduino */
#define LIGHT A3
#define TAG_ID "Light"
```

'init_iotmakers()' 함수는 KT IoTMakers 플랫폼 접속을 위한 과정이다. IoT 실습을 위해서는 첫 번째로 인터넷에 연결하고, 두 번째로 KT IoTMakers 플랫폼에 연결 후 마지막으로 플랫폼으로부터 인증을 받아야 한다.

첫 번째 단계인 인터넷 연결을 위해 시리얼 모니터에 "Connect to AP..."를 출력하고 AP 공유기의 SSID와 PASSWORD 값을 이용하여 WiFi를 시작한다. 접속에 성공하면 시리얼 모니터에 "success"를 출력하고 실패하면 "retrying."을 출력한다.

```
void init_iotmakers()
{
 while(1)
 {
  // AP 접속
  Serial.print(F("Connect to AP..."));
  while(g_im.begin(WiFi_SSID, WiFi_PASS)<0)
  {
   Serial.println(F("retrying."));
   delay(1000);
  }
  Serial.println(F("success"));
```

인터넷에 연결되면 KT IoTMakers 디바이스 등록 정보(deviceID, authnRqtNo, extrSysID)로 연결을 초기화한다.

두 번째 단계인 KT IoTMakers 플랫폼에 연결을 위해 시리얼 모니터에 "Connect to Platform..."을 출력한다. 연결이 성공하면 시리얼 모니터에 "success"를 출력하고 실패하면 "retrying."을 출력한다.

```
  // 인자값으로 받은 정보로 KT IoT Makers 접속
  g_im.init(deviceID, authnRqtNo, extrSysID);

  // IoTMakers 플랫폼 연결
  Serial.print(F("Connect to platform... "));
  while ( g_im.connect() < 0 )
  {
   Serial.println(F("retrying."));
   delay(1000);
  }
  Serial.println(F("success"));
```

마지막 단계인 KT IoTMakers 플랫폼에 디바이스 인증을 받기 위해 시리얼 모니터에 "Auth..."를 출력한다. 앞에서 사용자가 입력한 디바이스 아이디(deviceID), 디바이스 패스워드(authnRqtNo), Gateway 연결 ID(extrSysID)를 플랫폼에 넘겨 준다. 인증에 성공하면 "success"를 출력하고 실패하면 "fail"을 시리얼 모니터에 출력한다.

```
  //IoTMakers 플랫폼 인증
  Serial.print(F("Auth... "));
  if(g_im.auth_device() >= 0)
  {
   Serial.println(F("success "));
   return;
  }
  Serial.println(F("fail"));
 }
}
```

'setup()' 함수에서는 시리얼 모니터를 사용하기 위해 통신 속도를 9600으로 설정 후 초기화한다. CDS 센서가 연결된 핀을 입력으로 설정한다. 마지막으로 IoT Starter Kit와 IoTMakers 플랫폼을 초기화한다.

```
void setup()
{
	Serial.begin(9600);

    pinMode(LIGHT, INPUT);

	init_iotmakers();
}
```

'loop()' 함수에서는 IoTMakers 플랫폼에 접속이 종료되었을 경우 'init_iotmakers()' 함수를 호출하여 재접속을 실행한다. 1초 단위로 'send_light()' 함수를 호출하여 센서 값을 확인하고, 'g_im.loop()' 함수를 반복적으로 호출하여 IoTMakers 플랫폼으로부터 전송된 데이터가 있는지 확인한다.

```
void loop()
{
        static unsigned long tick = millis();

  // 만약 플랫폼 접속이 종료되었을 경우 다시 접속
  if(g_im.isServerDisconnected() == 1)
  {
    init_iotmakers();
  }
  // 센서값을 읽어 오는 시간 설정
        if ( ( millis() - tick) > 1000 )
        {
                send_light();
                tick = millis();
        }

  // IoTMakers 플랫폼 수신 처리 및 keepalive 송신
  g_im.loop();
}
```

'send_light()' 함수는 조도센서의 값을 측정하는 함수이다. 'analogRead()' 함수를 이용하여 조도센서의 값을 읽어와 변수 'value'에 저장한 후 'map()' 함수를 사용하여 값의 출력 범위를 재설정한다. 'map()' 함수를 사용한 이유는 'value'에 저장된 조도센서값이 밝을 때 낮아지고, 어두울 때 높아지기 때문이다. 이를 위해 기존의 범위 0~1023의 값을 1023~0으로 재설정한다. ('map()' 함수 안에 들어가는 내용을 순차적으로 나열하면 범위를 변경할 변수명, 이전 범위의 최솟값, 최댓값, 새로 변경할 범위의 최솟값, 최댓값 순서이다)

시리얼 모니터에 센서값을 출력하고, IoTMakers에 등록한 Tag ID 값에 'send_numdata()' 함수를 이용하여 숫자형 수집 데이터를 전송한다. 이때 펌웨어에서 작성한 Tag ID 값과 IoTMakers에 등록한 Tag Stream ID 값이 같아야 한다.

```
int send_light()
{
  // 센서값을 읽어 온다.
  int value = analogRead(LIGHT);
  int data = map(value, 0, 1023, 1023, 0);

  Serial.print(F("Light : "));
  Serial.println(data);

      if ( g_im.send_numdata(TAG_ID, (double)data) < 0 ) {
              Serial.println(F("fail"));
              return -1;
      }
      return 0;
}
```

16.3 펌웨어 연동 및 테스트

16.3.1 장비 결선 및 업로드

(1) 태그 스트림 생성

① '태그 스트림 생성' 버튼을 눌러 태그 스트림을 생성한다.

[그림 16-9] 태그 스트림 생성

② 실습에 사용할 조도센서 모듈의 태그 스트림을 생성한다. Tag Stream ID는 'Light', Tag Stream Type은 '수집', Value는 '숫자 형식'으로 설정 후 '생성' 버튼을 선택한다.

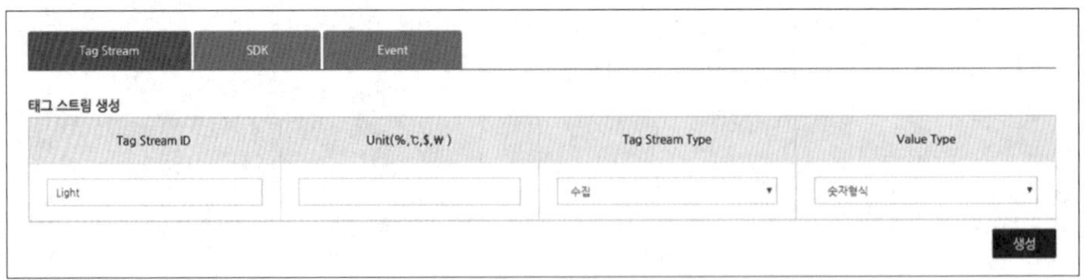

[그림 16-10] 태그 스트림 생성 조건

③ 태그 스트림 생성이 완료되면 태그 스트림 목록에 등록한 Tag Stream ID가 나타난다.

[그림 16-11] 태그 스트림 목록

(2) 장비 결선 및 펌웨어 업로드

① Starter Kit를 PC와 USB Cable로 연결한다.

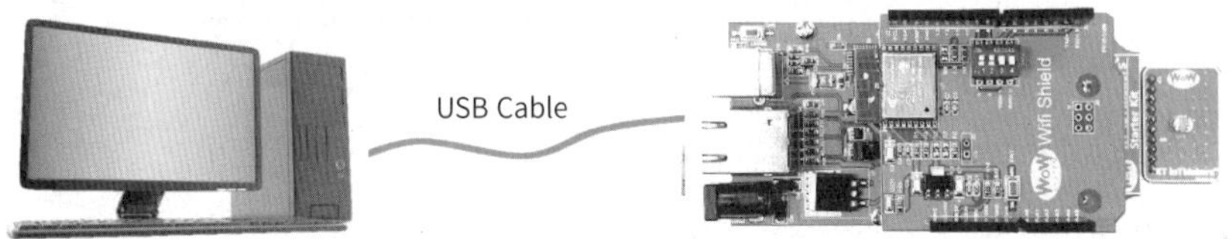

[그림 16-12] PC와 Starter Kit 연결

② '툴 - 보드'에서 'Arduino/Genuino Uno'를 선택한다.

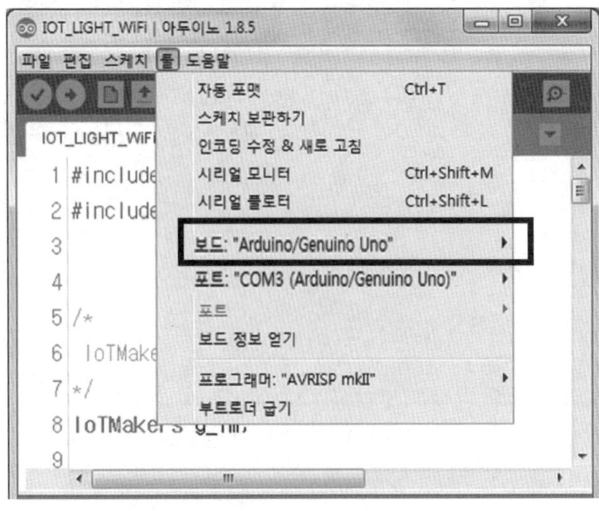

[그림 16-13] Arduino 보드 선택

③ USB로 연결된 장비의 해당 포트를 선택한다. (본 실습 환경에서 사용한 포트는 'COM3'이다.)

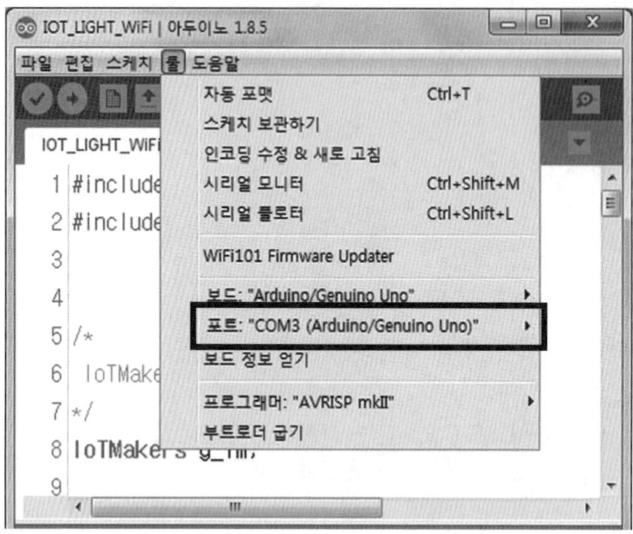

[그림 16-14] Arduino 포트 선택

④ '컴파일 및 업로드' 버튼을 선택한다.

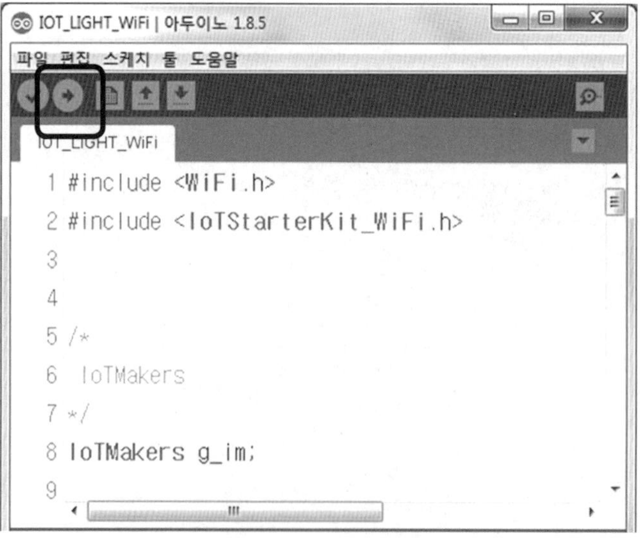

[그림 16-15] 컴파일 및 업로드

⑤ 시리얼 모니터를 실행한다.

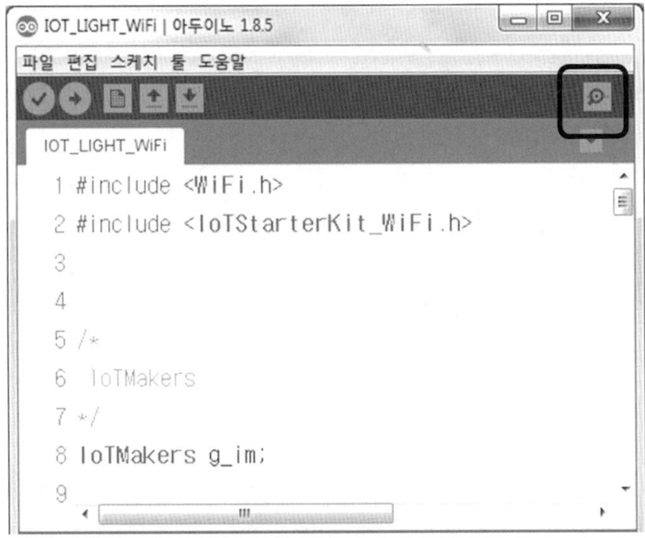

[그림 16-16] 시리얼 모니터 실행

16.4.2 실행 결과

① 시리얼 모니터를 통하여 IoTMakers 플랫폼에 연결되는 과정을 확인할 수 있다.

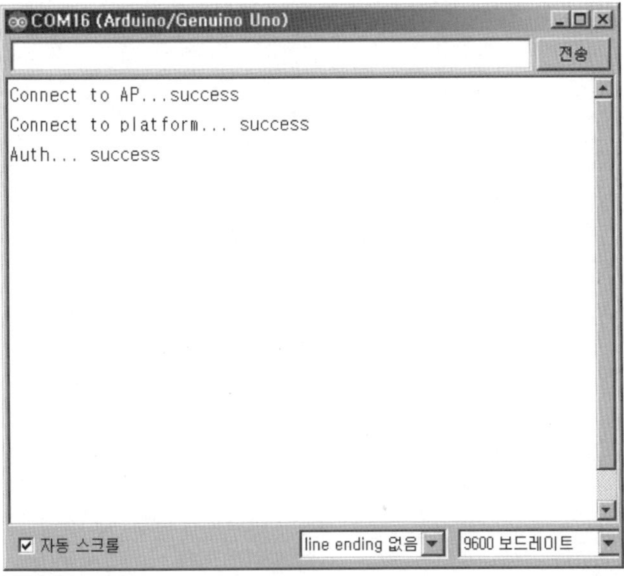

[그림 16-17] 연결 상태 확인

② 디바이스와 연결이 성공하면 IoTMakers의 디바이스 연결 상태가 'ON'으로 변경되는 것을 확인할 수 있다.

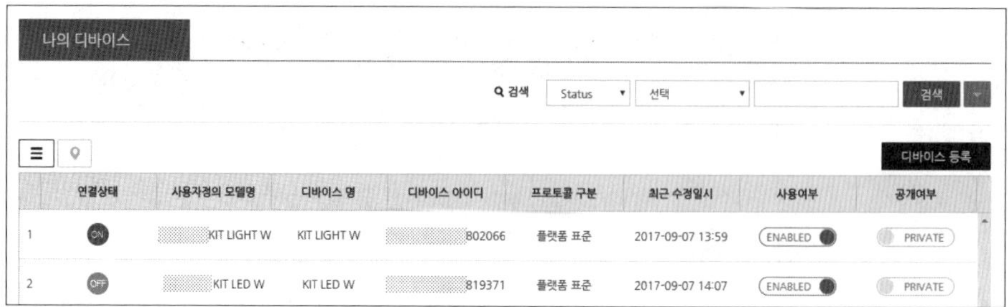

[그림 16-18] 디바이스 상태 변경

③ 앞에서 생성한 태그 스트림 목록에서 'Light'를 선택하면 CDS 센서로부터 읽어온 센서값이 출력되는 것을 확인할 수 있다.

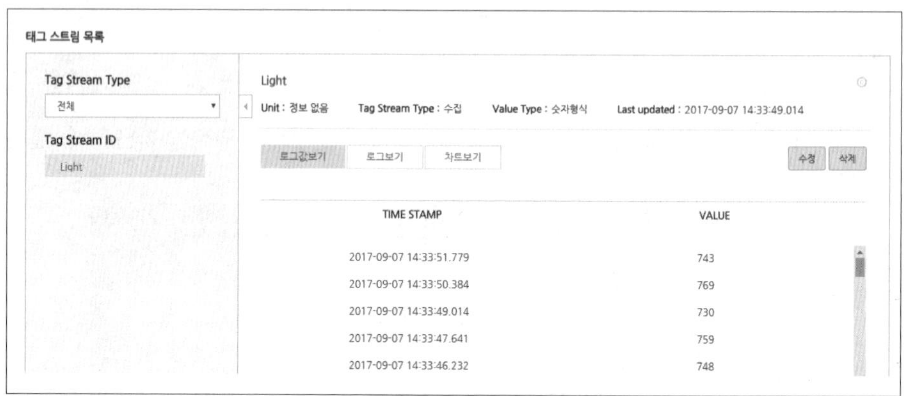

[그림 16-19] 센서값 모니터링

④ 시리얼 모니터에도 조도센서값이 함께 출력되는 것을 확인할 수 있다.

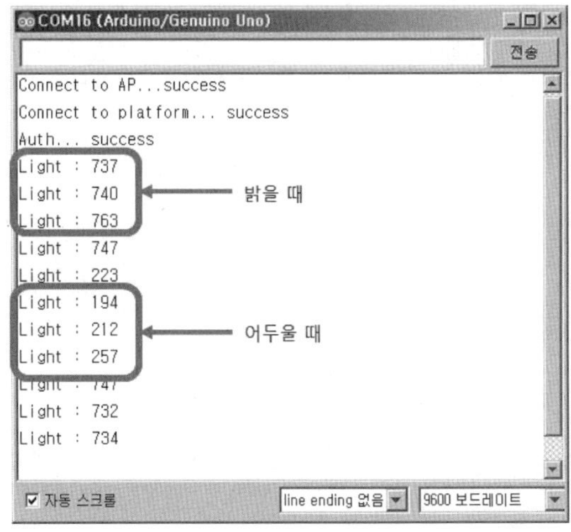

[그림 16-20] 조도센서값 출력

16.4 과제

1) 조도센서값이 500 이하로 내려가면 시리얼 모니터에 'State : dark'라는 문자를 출력하도록 펌웨어를 작성해 본다.
2) KT Platform에서 'LightR'라는 숫자형 수집 Tag Stream ID를 생성한 후 센서값이 출력되도록 한다. 이때 'map()' 함수를 사용하여 센서의 값이 어두울 때는 숫자가 높게 출력되고 밝을 때는 숫자가 낮게 출력되도록 펌웨어를 작성한다.

4차 산업혁명 요소 기술 아두이노를 이용한 IoT 디바이스 개발 실무

무선으로 실습하는 IoT
- LED 모듈 제어

PART 17 무선으로 실습하는 IoT - LED 모듈 제어

실습 목표

▶ WiFi 통신을 이용한 KT Platform의 접속 및 인증을 실행할 수 있다.

▶IoTMakers에서 LED 모듈을 제어할 수 있다.

17.1 하드웨어 구성 확인하기

하드웨어 구성은 '아두이노를 이용한 LED 모듈 제어'와 동일하므로 생략한다.

17.2 개발 환경 구축

17.2.1 결선 방법 및 디바이스 생성

(1) 결선 방법

LED 모듈의 경우 아래와 같이 장비의 아래쪽에 모듈을 연결할 수 있는 컨넥터가 있다. 모듈을 연결 시 Starter Kit와 모듈의 연결 부분에 화살표가 마주 보는 상태로 연결되어야 한다.

만약 모듈을 뒤집어서 연결할 경우, VCC와 GND 전원 연결 핀이 반대로 연결되어 고장이 일어날 수 있으므로 뒤집어서 연결하지 않도록 주의한다.

[그림 17-1] 모듈 컨넥터

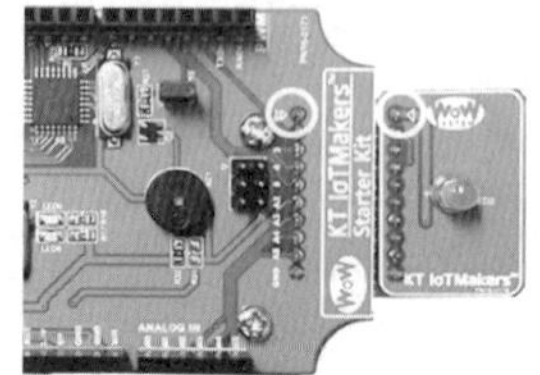

[그림 17-2] 모듈 연결 방법

WiFi Shield의 경우 장비의 윗면의 좌·우에 연결을 위한 컨넥터가 있다. WiFi Shield를 연결할 때, Shield 하단의 핀이 휘어지지 않도록 주의하여 연결한다.

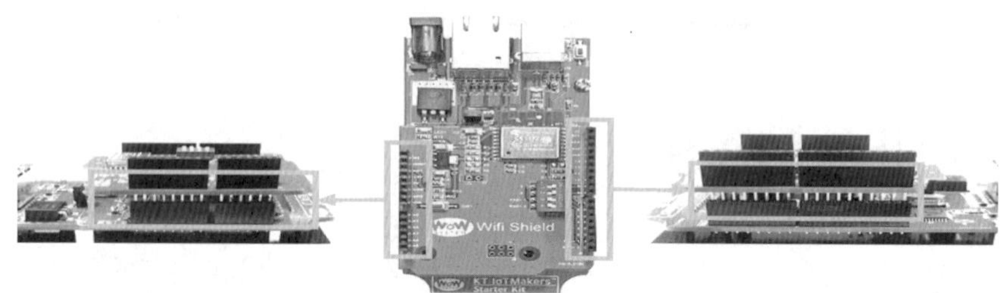

[그림 17-3] WiFi Shield

(2) 디바이스 생성

① KT IoTMakers 플랫폼에서 'IoT 개발 〉 나의 디바이스'를 선택한다.

[그림 17-4] 나의 디바이스 선택

② 디바이스 생성을 위해 '디바이스 생성' 버튼을 눌러 준다. 처음 디바이스를 생성한 경우 아래와 같은 화면을 볼 수 있다.

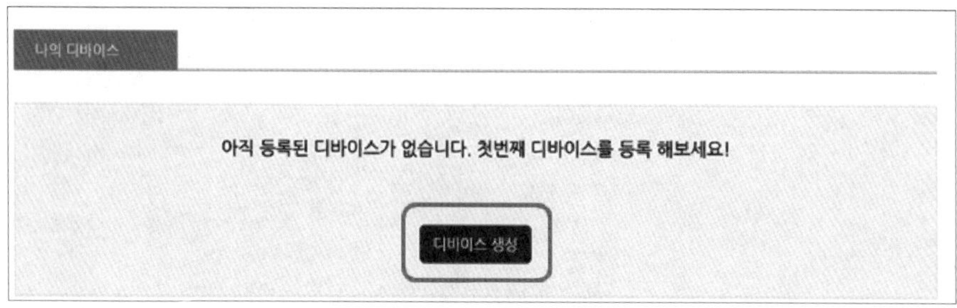

[그림 17-5] 디바이스 생성

③ 디바이스 명은 'KIT LED W'로 입력하고 디바이스 아이디와 패스워드는 기본으로 주어지는 값을 사용한다. 만약 변경을 원할 경우에는 '수정' 버튼을 선택하여 변경할 수 있다. 프로토콜 유형은 'KT Standard I/F'의 'TCP' 통신 프로토콜을 사용한다.

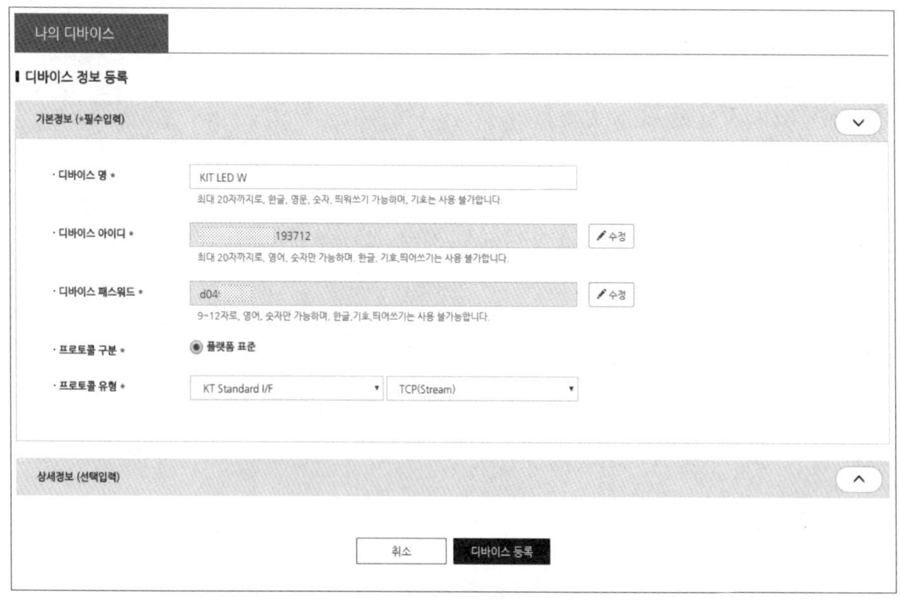

[그림 17-6] 디바이스 정보 등록

④ 생성된 디바이스를 선택하면 디바이스에 대한 상세 정보를 확인할 수 있다.

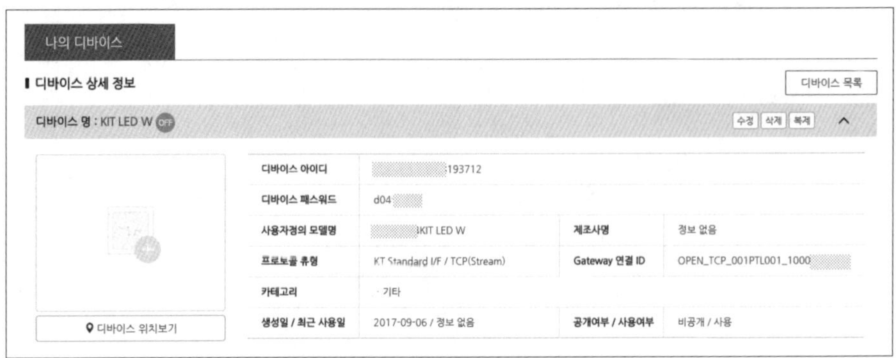

[그림 17-7] 디바이스 정보 확인

17.2.2 펌웨어 설명

WiFi 통신을 사용하기 위해 ‘WiFi’ 라이브러리와 WiFi 통신의 Starter Kit를 위한 ‘IoTStarterKit_WiFi’ 라이브러리를 추가한다.

```
#include <WiFi.h>
#include <IoTStarterKit_WiFi.h>
```

KT IoTMakers 플랫폼과 연결을 위해 앞에서 생성한 디바이스의 등록 정보를 입력한다.

- deviceID ⇒ KT IoTMakers 플랫폼에서 사용자가 생성한 디바이스 아이디를 입력
- authnRqtNo ⇒ KT IoTMakers 플랫폼에서 생성된 디바이스 패스워드를 입력
- extrSysID ⇒ KT IoTMakers 플랫폼에서 생성된 Gateway 연결 ID를 입력

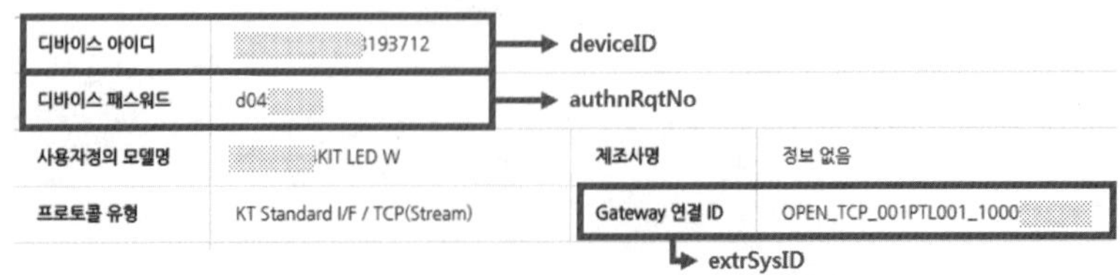

[그림 17-8] 사용자의 등록 정보

```
/* IoTMakers */
IoTStarterKit_Eth g_im;

// 사용자의 정보 입력
#define deviceID    "**************193712"
#define authnRqtNo  "d04******"
#define extrSysID   "OPEN_TCP_001PTL001_1000******"
```

WiFi 통신을 사용하기 위해 사용자 AP 공유기의 WiFi SSID와 PASSWORD를 입력한다. (본 예시의 WiFi SSID는 'WOWEDU001'을 사용한다.)

```
/* WiFi Shield */
#define WiFi_SSID  "WOWEDU001"            //와이파이 SSID
#define WiFi_PASS  "********"             //와이파이 비밀번호
```

LED가 연결되어 있는 핀과 KT IoTMakers 플랫폼에서 사용할 TAG ID를 정의한다. 모듈의 LED 핀은 2번에 연결되어 있으며, TAG ID는 'LED'로 정의한다.

```
/* Arduino */
#define PIN_LED 2
#define TAG_ID "LED"
```

'init_iotmakers()' 함수는 KT IoTMakers 플랫폼 접속을 위한 과정이다. IoT 실습을 위해서는 첫 번째로 인터넷에 연결하고, 두 번째로 KT IoTMakers 플랫폼에 연결 후 마지막으로 플랫폼으로부터 인증을 받아야 한다.

첫 번째 단계인 인터넷 연결을 위해 시리얼 모니터에 "Connect to AP..."를 출력하고 AP 공유기의 SSID와 PASSWORD 값을 이용하여 WiFi를 시작한다. 접속에 성공하면 시리얼 모니터에 "success"를 출력하고 실패하면 "retrying."을 출력한다.

```
void init_iotmakers()
{
 while(1)
 {
  // AP 접속
  Serial.print(F("Connect to AP..."));
  while(g_im.begin(WiFi_SSID, WiFi_PASS)<0)
  {
   Serial.println(F("retrying."));
   delay(1000);
  }
  Serial.println(F("success"));
```

인터넷에 연결되면 KT IoTMakers 디바이스 등록정보(deviceID, authnRqtNo, extrSysID)로 연결을 초기화하고, KT IoTMakers 플랫폼에서 전송한 디바이스 제어 데이터(문자형)를 처리하기 위하여 핸들러 함수를 등록한다.

두 번째 단계인 KT IoTMakers 플랫폼에 연결을 위해 시리얼 모니터에 "Connect to Platform..."을 출력한다. 연결이 성공하면 시리얼 모니터에 "success"를 출력하고 실패하면 "retrying."을 출력한다.

```
  // 인자값으로 받은 정보로 KT IoT Makers 접속
  g_im.init(deviceID, authnRqtNo, extrSysID);

  // String type 제어 핸들러
  g_im.set_strdata_handler(mycb_strdata_handler);

  // IoTMakers 플랫폼 연결
  Serial.print(F("Connect to platform... "));
  while ( g_im.connect() < 0 )
  {
   Serial.println(F("retrying."));
   delay(1000);
  }
  Serial.println(F("success"));
```

마지막 단계인 KT IoTMakers 플랫폼에 디바이스 인증을 받기 위해 시리얼 모니터에 "Auth..."를 출력한다. 앞에서 사용자가 입력한 디바이스 아이디(deviceID), 디바이스 패스워드(authnRqtNo), Gateway 연결 ID(extrSysID)를 플랫폼에 넘겨 준다. 인증에 성공하면 "success"를 출력하고 실패하면 "fail"을 시리얼 모니터에 출력한다.

```
    //IoTMakers 플랫폼 인증
    Serial.print(F("Auth... "));
    if(g_im.auth_device() >= 0)
    {
     Serial.println(F("success "));
     return;
    }
    Serial.println(F("fail"));
  }
}
```

'setup()' 함수에서는 시리얼 모니터를 사용하기 위해 통신 속도를 9600으로 설정 후 초기화한다. LED가 연결된 핀을 출력으로 설정하고, 초기 상태를 'HIGH'로 작성하여 프로그램 구동 시 LED 모듈이 OFF 상태가 되도록 한다. 마지막으로 IoT Starter Kit와 IoTMakers 플랫폼을 초기화한다.

```
void setup()
{
  Serial.begin(9600);

  pinMode(PIN_LED, OUTPUT);
  digitalWrite(PIN_LED, HIGH);

  init_iotmakers();
}
```

'loop()' 함수에서는 IoTMakers 플랫폼에 접속이 종료되었을 경우 'init_iotmakers()' 함수를 호출하여 재접속을 실행한다. 'g_im.loop()' 함수를 반복적으로 호출하여 IoTMakers 플랫폼으로부터 전송된 데이터가 있는지 확인하고, 제어 데이터가 있으면 사용자가 등록한 핸들러(콜백 함수)를 호출한다.

```
void loop()
{
  // 만약 플랫폼 접속이 종료되었을 경우 다시 접속
  if(g_im.isServerDisconnected() == 1)
  {
    init_iotmakers();
  }
  // IoTMakers 플랫폼 수신 처리 및 keepalive 송신
  g_im.loop();
}
```

'mycb_strdata_handler()' 함수는 KT IoTMakers 플랫폼에서 전송한 문자형 디바이스 제어 데이터를 처리하기 위한 핸들러 함수이다. KT IoTMakers 플랫폼에서 등록한 태그 스트림 ID와 앞에서 정의한 TAG ID 값을 비교하여 LED를 제어한다. 이때 플랫폼에 등록한 태그 스트림 ID와 펌웨어에서 정의한 TAG ID 값이 같아야 제어 데이터가 전달된다.

- ▶ TAG ID가 'LED'이고 제어값이 'on'이면 LED를 ON 시키고, 시리얼 모니터에 'LED ON'을 출력
- ▶ TAG ID가 'LED'이고 제어값이 'off'면 LED를 OFF 시키고, 시리얼 모니터에 'LED OFF'를 출력

```
// 플랫폼에 보내는 내용
void mycb_strdata_handler(char *tagid, char *strval)
{
  if ( strcmp(TAG_ID, tagid) == 0 && strcmp(strval, "on") == 0 )
  {
    digitalWrite(LED, LOW);
    Serial.println(F("LED ON"));
  }

  else if ( strcmp(TAG_ID, tagid) == 0 && strcmp(strval, "off") == 0 )
  {
    digitalWrite(LED, HIGH);
    Serial.println(F("LED OFF"));
  }
}
```

17.3 펌웨어 연동 및 테스트

17.3.1 장비 결선 및 업로드

(1) 태그 스트림 생성

① '태그 스트림 생성' 버튼을 눌러 태그 스트림을 생성한다.

[그림 17-9] 태그 스트림 생성

② 실습에 사용할 LED 모듈의 태그 스트림을 생성한다. Tag Stream ID는 'LED', Tag Stream Type은 '제어', Value는 '문자 형식'으로 설정 후 '생성' 버튼을 선택한다.

[그림 17-10] 태그 스트림 생성 조건

③ 태그 스트림 생성이 완료되면 태그 스트림 목록에 등록한 Tag Stream ID가 나타난다.

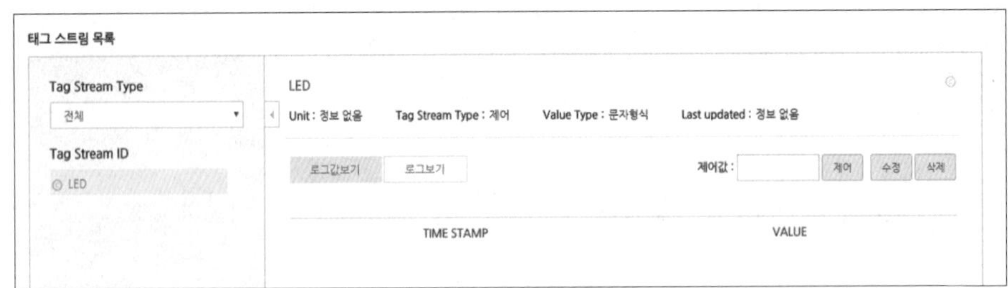

[그림 17-11] 태그 스트림 목록

(2) 장비 결선 및 펌웨어 업로드

① Starter Kit를 PC와 USB Cable로 연결한다.

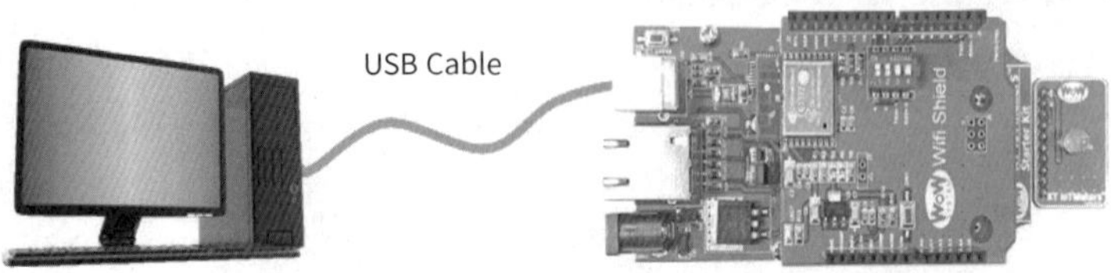

[그림 17-12] PC와 Starter Kit 연결

② '툴-보드'에서 'Arduino/Genuino Uno'를 선택한다.

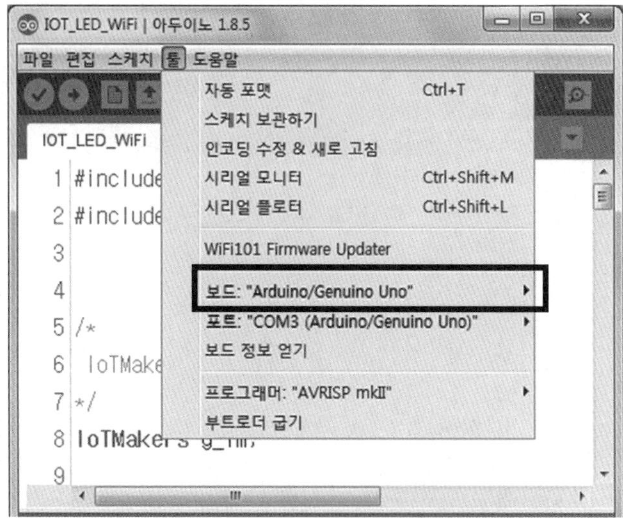

[그림 17-13] Arduino 보드 선택

③ USB로 연결된 장비의 해당 포트를 선택한다. (본 실습 환경에서 사용한 포트는 'COM3'이다.)

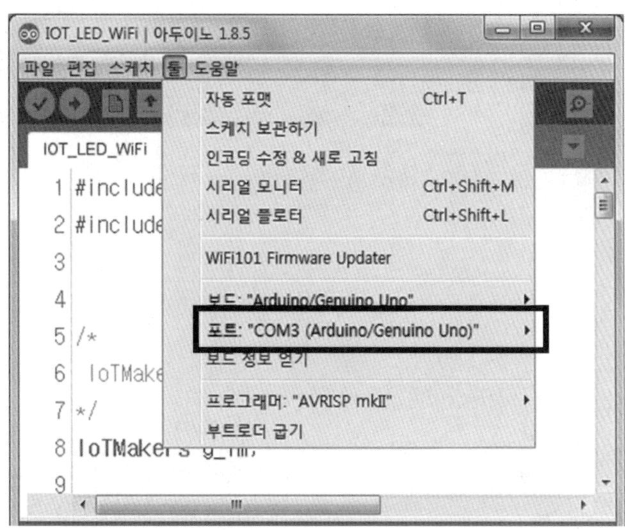

[그림 17-14] Arduino 포트 선택

④ '컴파일 및 업로드' 버튼을 선택한다.

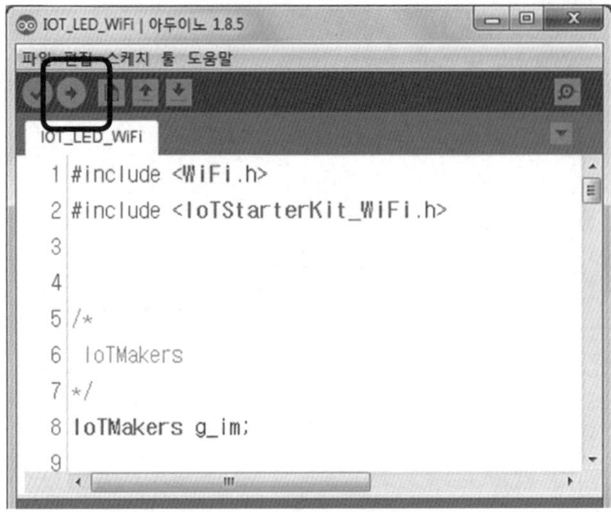

[그림 17-15] 컴파일 및 업로드

⑤ 시리얼 모니터를 실행한다.

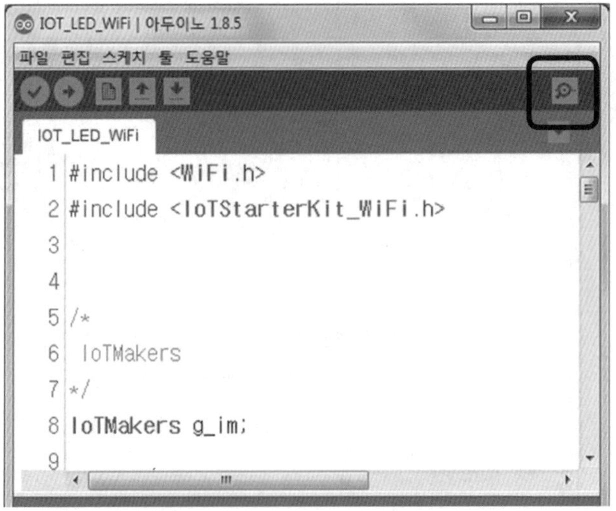

[그림 17-16] 시리얼 모니터 실행

17.3.2 실행 결과

① 시리얼 모니터를 통하여 IoTMakers 플랫폼에 연결되는 과정을 확인할 수 있다.

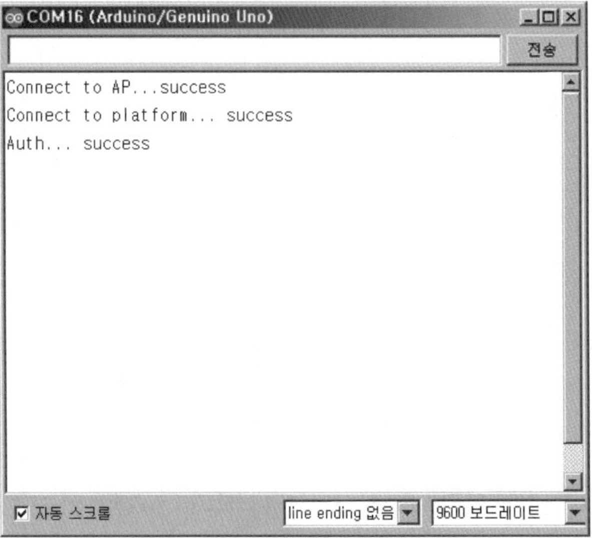

[그림 17-17] 연결 상태 확인

② 디바이스와 연결이 성공하면 IoTMakers의 디바이스 연결 상태가 'ON'으로 변경되는 것을 확인할 수 있다.

[그림 17-18] 디바이스 상태 변경

③ 앞에서 생성한 태그 스트림 목록에서 'LED'를 선택한 후 LED 제어값을 전송한다. 이때 입력되는 값은 펌웨어에서 정의한 값과 동일해야 한다. 우리는 'on'과 'off' 값을 사용하였다.

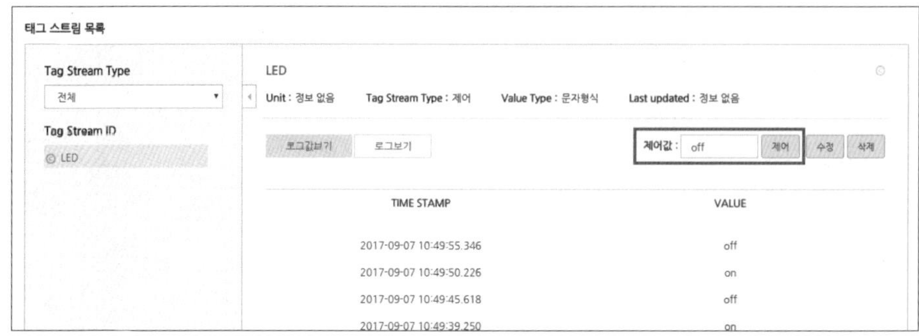

[그림 17-19] LED 제어값 전송

④ 전송한 제어값에 따라 IoT Starter Kit의 LED가 ON/OFF 되는 것을 확인할 수 있다. 또한, 시리얼 모니터에도 'LED ON' 또는 'LED OFF' 문장이 출력되는 것을 확인할 수 있다.

[그림 17-20] LED 제어

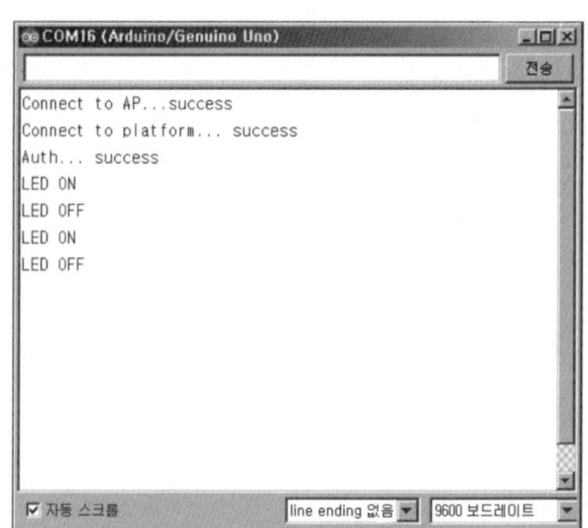

[그림 17-21] LED 상태 출력

17.4 과제

1) KT Platform에서 'on' 제어 명령어를 보냈을 때, LED를 ON 시키고 1초 뒤 OFF 시키도록 펌웨어를 작성한다.

2) KT Platform에서 'blink' 제어 명령어를 보냈을 때, LED가 1초 간격으로 ON → OFF → ON → OFF → ON 되고, 시리얼 모니터에 'LED BLINK'를 출력하도록 펌웨어를 작성한다.

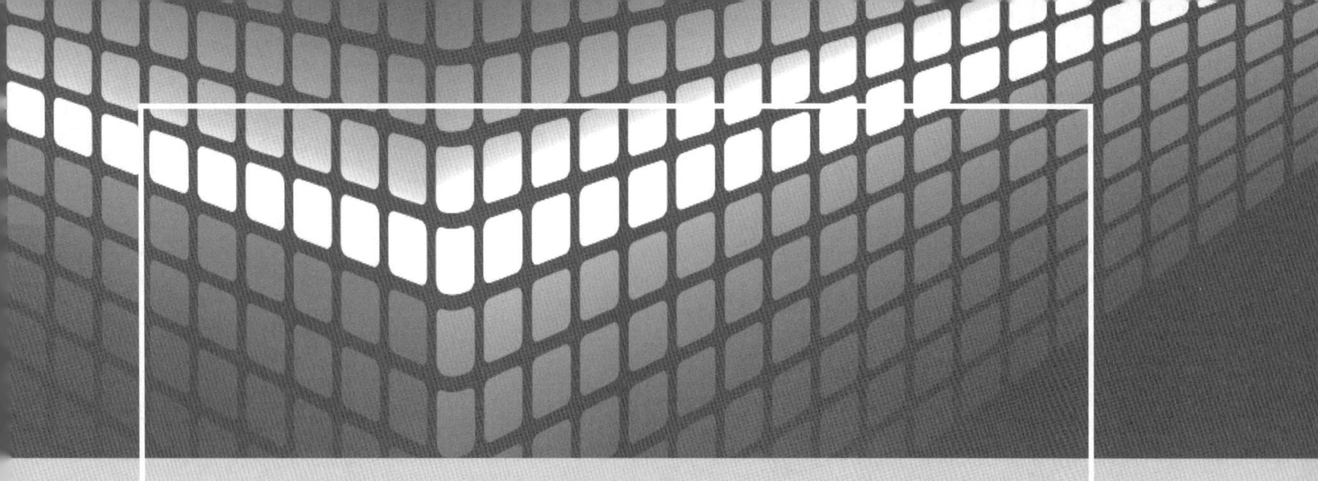

PART
18

4차 산업혁명 요소 기술 아두이노를 이용한 IoT 디바이스 개발 실무

무선으로 실습하는 IoT - Buzzer 제어

PART 18 무선으로 실습하는 IoT - Buzzer 제어

실습 목표

- ▶ WiFi 통신을 이용한 KT Platform의 접속 및 인증을 실행할 수 있다.
- ▶ IoTMakers에서 Buzzer를 제어할 수 있다.

18.1 하드웨어 구성 확인하기

하드웨어 구성은 '아두이노를 이용한 Buzzer 제어'와 동일하므로 생략한다.

18.2 개발 환경 구축

18.2.1 결선 방법 및 디바이스 생성

(1) 결선 방법

Buzzer는 Starter Kit에 장착되어 있기 때문에 별도의 결선이 필요하지 않다.

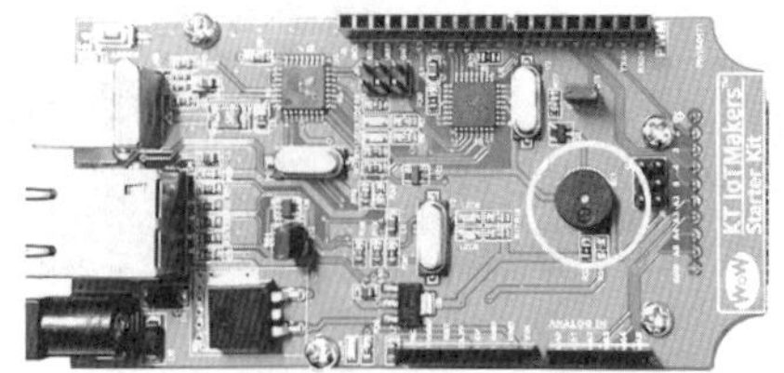

[그림 18-1] Buzzer 위치

WiFi Shield의 경우 장비의 윗면의 좌·우에 연결을 위한 컨넥터가 있다. WiFi Shield를 연결할 때, Shield 하단의 핀이 휘어지지 않도록 주의하여 연결한다.

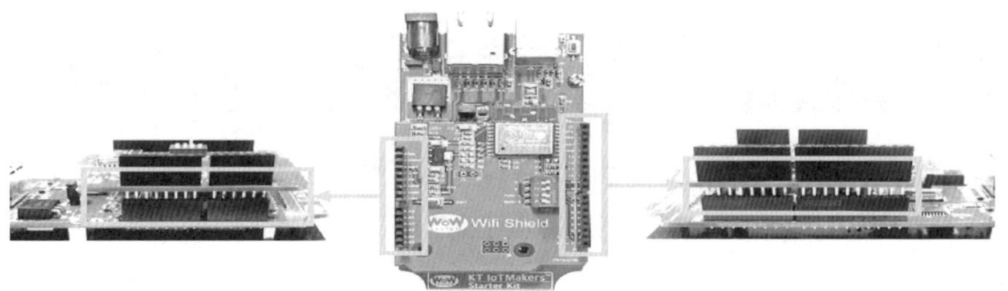

[그림 18-2] WiFi Shield

(2) 디바이스 생성

① KT IoTMakers 플랫폼에서 'IoT 개발 〉 나의 디바이스'를 선택한다.

[그림 18-3] 나의 디바이스 선택

② 디바이스 생성을 위해 '디바이스 생성' 버튼을 눌러준다. 처음 디바이스를 생성한 경우 아래와 같은 화면을 볼 수 있다.

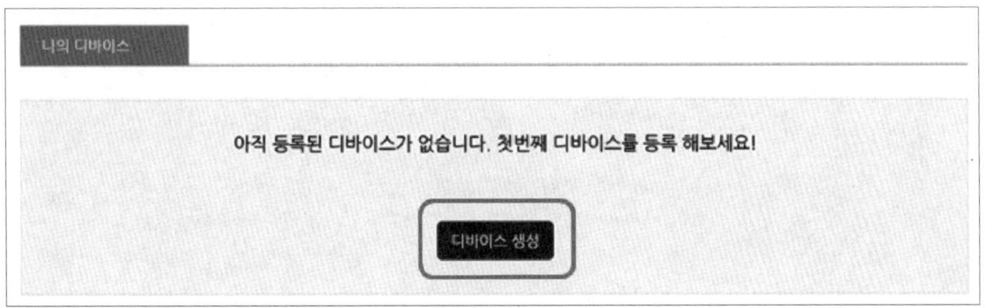

[그림 18-4] 디바이스 생성

③ 디바이스 명은 'KIT BUZZER W'로 입력하고 디바이스 아이디와 패스워드는 기본으로 주어지는 값을 사용한다. 만약 변경을 원할 경우에는 '수정' 버튼을 선택하여 변경할 수 있다. 프로토콜 유형은 'KT Standard I/F'의 'TCP' 통신 프로토콜을 사용한다.

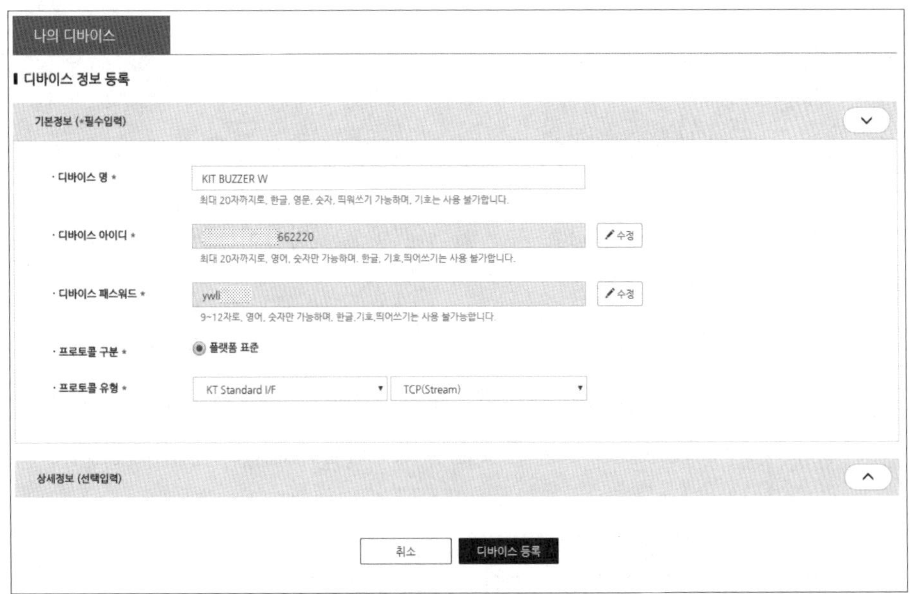

[그림 18-5] 디바이스 정보 등록

④ 생성된 디바이스를 선택하면 디바이스에 대한 상세 정보를 확인할 수 있다.

[그림 18-6] 디바이스 정보 확인

18.2.2 펌웨어 설명

WiFi 통신을 사용하기 위해 'WiFi' 라이브러리와 WiFi 통신의 Starter Kit를 위한 'IoTStarterKit_WiFi' 라이브러리를 추가한다.

```
#include <WiFi.h>
#include <IoTStarterKit_WiFi.h>
```

KT IoTMakers 플랫폼과 연결을 위해 앞에서 생성한 디바이스의 등록 정보를 입력한다.

- deviceID ⇒ KT IoTMakers 플랫폼에서 사용자가 생성한 디바이스 아이디를 입력
- authnRqtNo ⇒ KT IoTMakers 플랫폼에서 생성된 디바이스 패스워드를 입력
- extrSysID ⇒ KT IoTMakers 플랫폼에서 생성된 Gateway 연결 ID를 입력

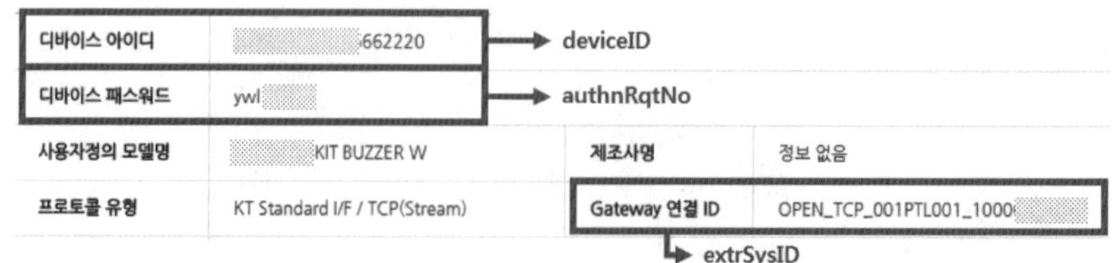

[그림 18-7] 사용자의 등록 정보

```
/* IoTMakers */
IoTStarterKit_Eth g_im;

// 사용자의 정보 입력
#define deviceID    "**************662220"
#define authnRqtNo  "ywl******"
#define extrSysID  "OPEN_TCP_001PTL001_1000******"
```

WiFi 통신을 사용하기 위해 사용자 AP 공유기의 WiFi SSID와 PASSWORD를 입력한다. (본 예시의 WiFi SSID는 'WOWEDU001'을 사용한다.)

```
/* WiFi Shield */
#define WiFi_SSID  "WOWEDU001"                //와이파이 SSID
#define WiFi_PASS  "********"               //와이파이 비밀번호
```

Buzzer가 연결되어 있는 핀과 KT IoTMakers 플랫폼에서 사용할 TAG ID를 정의한다. Buzzer 핀은 6번에 연결되어 있으며, TAG ID는 'BUZZER'로 정의한다.

```
/* Arduino */
#define BUZZER 6
#define TAG_ID "BUZZER"
```

'init_iotmakers()' 함수는 KT IoTMakers 플랫폼 접속을 위한 과정이다. IoT 실습을 위해서는 첫 번째로 인터넷에 연결하고, 두 번째로 KT IoTMakers 플랫폼에 연결 후 마지막으로 플랫폼으로부터 인증을 받아야 한다.

첫 번째 단계인 인터넷 연결을 위해 시리얼 모니터에 "Connect to AP..."를 출력하고 AP 공유기의 SSID와 PASSWORD 값을 이용하여 WiFi를 시작한다. 접속에 성공하면 시리얼 모니터에 "success"를 출력하고 실패하면 "retrying."을 출력한다.

```
void init_iotmakers()
{
 while(1)
 {
  // AP 접속
  Serial.print(F("Connect to AP..."));
  while(g_im.begin(WiFi_SSID, WiFi_PASS)<0)
  {
   Serial.println(F("retrying."));
   delay(1000);
  }
  Serial.println(F("success"));
```

인터넷에 연결되면 KT IoTMakers 디바이스 등록정보(deviceID, authnRqtNo, extrSysID)로 연결을 초기화하고, KT IoTMakers 플랫폼에서 전송한 디바이스 제어 데이터(문자형)를 처리하기 위하여 핸들러 함수를 등록한다.

두 번째 단계인 KT IoTMakers 플랫폼에 연결을 위해 시리얼 모니터에 "Connect to Platform..."을 출력한다. 연결이 성공하면 시리얼 모니터에 "success"를 출력하고 실패하면 "retrying."을 출력한다.

```
  // 인자 값으로 받은 정보로 KT IoT Makers 접속
  g_im.init(deviceID, authnRqtNo, extrSysID);

  // String type 제어 핸들러
  g_im.set_strdata_handler(mycb_strdata_handler);

  // IoTMakers 플랫폼 연결
  Serial.print(F("Connect to platform... "));
  while ( g_im.connect() < 0 )
  {
   Serial.println(F("retrying."));
   delay(1000);
  }
  Serial.println(F("success"));
```

마지막 단계인 KT IoTMakers 플랫폼에 디바이스 인증을 받기 위해 시리얼 모니터에 "Auth..."를 출력한다. 앞에서 사용자가 입력한 디바이스 아이디(deviceID), 디바이스 패스워드(authnRqtNo), Gateway 연결 ID(extrSysID)를 플랫폼에 넘겨 준다. 인증에 성공하면 "success"를 출력하고 실패하면 "fail"을 시리얼 모니터에 출력한다.

```
    //IoTMakers 플랫폼 인증
    Serial.print(F("Auth... "));
    if(g_im.auth_device() >= 0)
    {
     Serial.println(F("success "));
     return;
    }
    Serial.println(F("fail"));
  }
}
```

'setup()' 함수에서는 시리얼 모니터를 사용하기 위해 통신 속도를 9600으로 설정 후 초기화한다. Buzzer가 연결된 핀을 출력으로 설정하고, IoT Starter Kit와 IoTMakers 플랫폼을 초기화한다.

```
void setup()
{
	Serial.begin(9600);

	pinMode(BUZ,OUTPUT);

	init_iotmakers();
}
```

'loop()' 함수에서는 IoTMakers 플랫폼에 접속이 종료되었을 경우 'init_iotmakers()' 함수를 호출하여 재접속을 실행한다. 'g_im.loop()' 함수를 반복적으로 호출하여 IoTMakers 플랫폼으로부터 전송된 데이터가 있는지 확인하고, 제어 데이터가 있으면 사용자가 등록한 핸들러(콜백 함수)를 호출한다.

```
void loop()
{
  // 만약 플랫폼 접속이 종료되었을 경우 다시 접속
  if(g_im.isServerDisconnected() == 1)
  {
    init_iotmakers();
  }


      // IoTMakers 플랫폼 수신 처리 및 keepalive 송신
      g_im.loop();
}
```

'mycb_strdata_handler()' 함수는 KT IoTMakers 플랫폼에서 전송한 문자형 디바이스 제어 데이터를 처리하기 위한 핸들러 함수이다. KT IoTMakers 플랫폼에서 등록한 태그 스트림 ID와 앞에서 정의한 TAG ID 값을 비교하여 Buzzer를 제어한다. 이때 플랫폼에 등록한 태그 스트림 ID와 펌웨어에서 정의한 TAG ID 값이 같아야 제어 데이터가 전달된다.

▶ TAG ID가 'BUZZER'이고 제어값이 'on'이면 Buzzer를 ON 시키고, 시리얼 모니터에 'BUZZER ON'을 출력

▶ TAG ID가 'BUZZER'이고 제어값이 'off'면 Buzzer를 OFF 시키고, 시리얼 모니터에 'BUZZER OFF'를 출력

```
// 플랫폼에 보내는 내용
void mycb_strdata_handler(char *tagid, char *strval)
{
  if ( strcmp(TAG_ID, tagid) == 0 && strcmp(strval, "on") == 0 )
  {
    tone(BUZ, 1000);
    Serial.println(F("BUZZER ON"));
  }

  else if ( strcmp(TAG_ID, tagid) == 0 && strcmp(strval, "off") == 0 )
  {
    noTone(BUZ);
    Serial.println(F("BUZZER OFF"));
  }
}
```

18.3 펌웨어 연동 및 테스트

18.3.1 장비 결선 및 업로드

(1) 태그 스트림 생성

① '태그 스트림 생성' 버튼을 눌러 태그 스트림을 생성한다.

[그림 18-8] 태그 스트림 생성

② 실습에 사용할 Buzzer의 태그 스트림을 생성한다. Tag Stream ID는 'Buzzer', Tag Stream Type은 '제어', Value는 '문자 형식'으로 설정 후 '생성' 버튼을 선택한다.

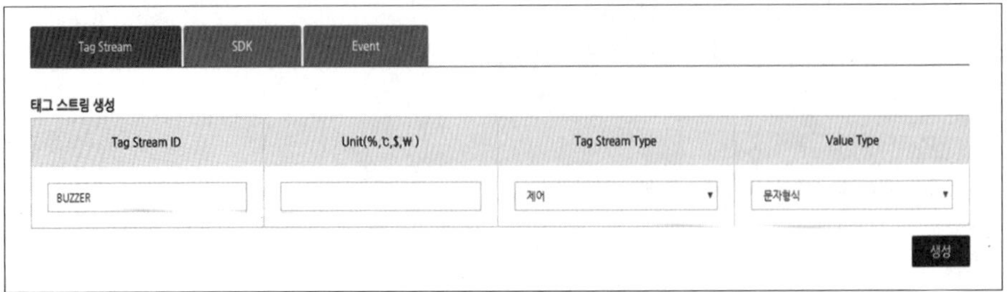

[그림 18-9] 태그 스트림 생성 조건

③ 태그 스트림 생성이 완료되면 태그 스트림 목록에 등록한 Tag Stream ID가 나타난다.

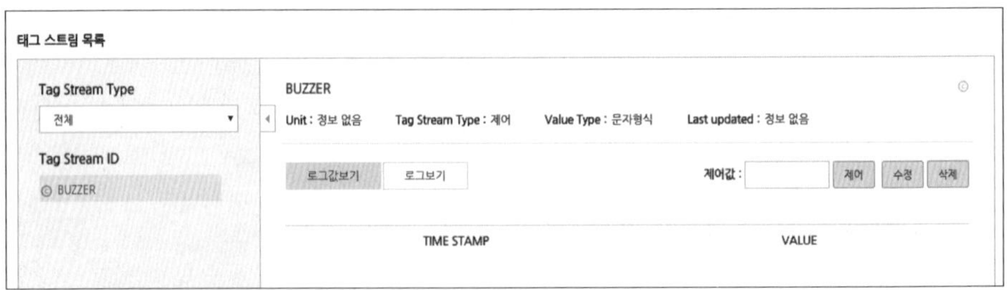

[그림 18-10] 태그 스트림 목록

(2) 장비 결선 및 펌웨어 업로드

① Starter Kit를 PC와 USB Cable로 연결한다.

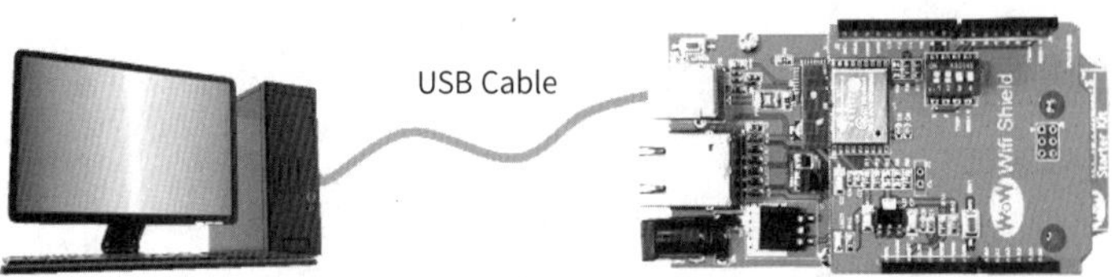

[그림 18-11] PC와 Starter Kit 연결

② '툴-보드'에서 'Arduino/Genuino Uno'를 선택한다.

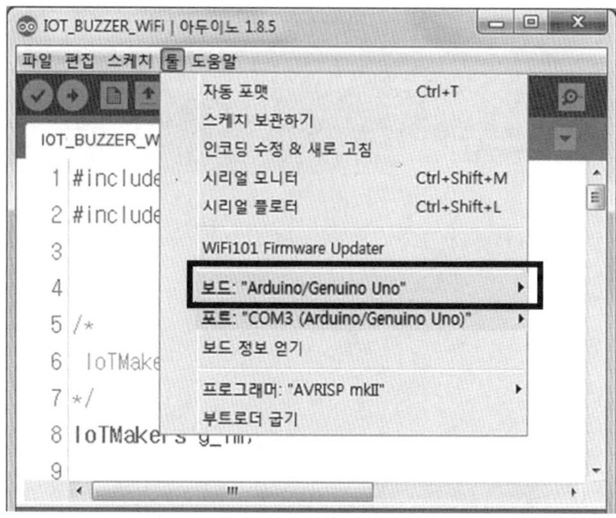

[그림 18-12] Arduino 보드 선택

③ USB로 연결된 장비의 해당 포트를 선택한다. (본 실습 환경에서 사용한 포트는 'COM3'이다.)

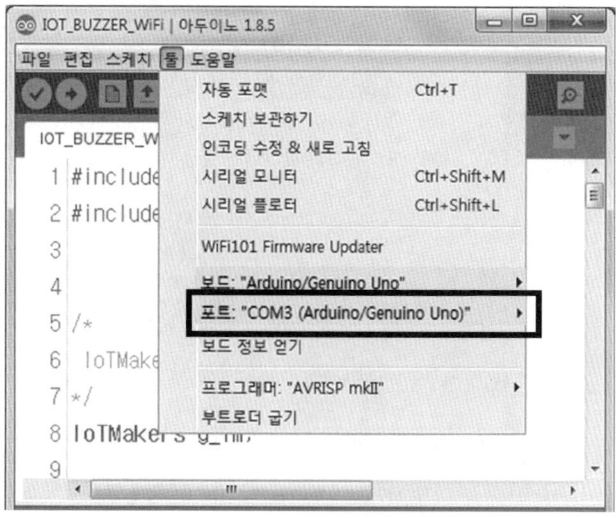

[그림 18-13] Arduino 포트 선택

④ '컴파일 및 업로드' 버튼을 선택한다.

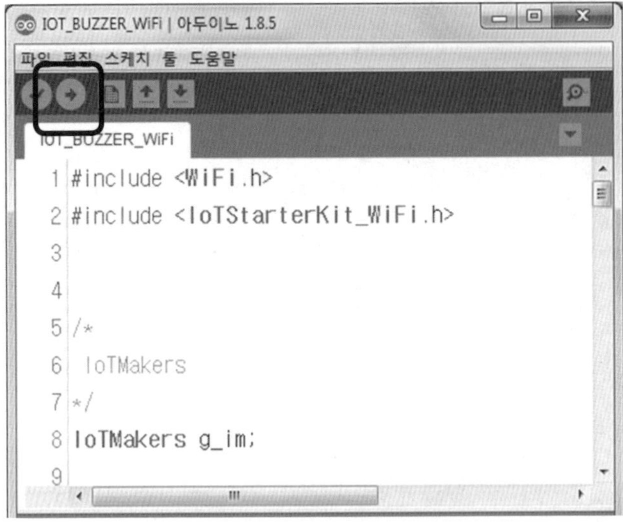

[그림 18-14] 컴파일 및 업로드

⑤ 시리얼 모니터를 실행한다.

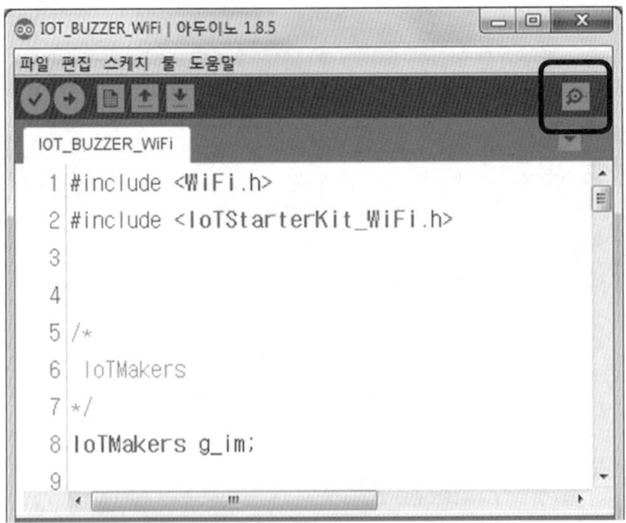

[그림 18-15] 시리얼 모니터 실행

18.3.2 실행 결과

① 시리얼 모니터를 통하여 IoTMakers 플랫폼에 연결되는 과정을 확인할 수 있다.

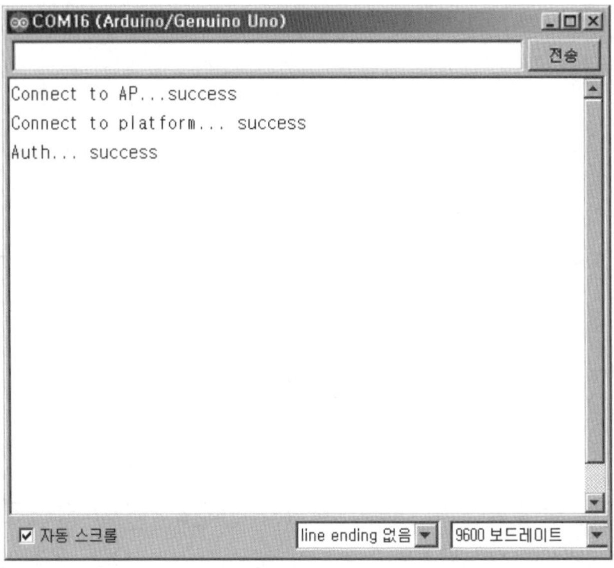

[그림 18-16] 연결 상태 확인

② 디바이스와 연결이 성공하면 IoTMakers의 디바이스 연결 상태가 'ON'으로 변경되는 것을 확인할 수 있다.

[그림 18-17] 디바이스 상태 변경

③ 앞에서 생성한 태그 스트림 목록에서 'BUZZER'를 선택한 후 Buzzer 제어값을 전송한다. 이때 입력되는 값은 펌웨어에서 정의한 값과 동일해야 한다. 우리는 'on'과 'off' 값을 사용하였다.

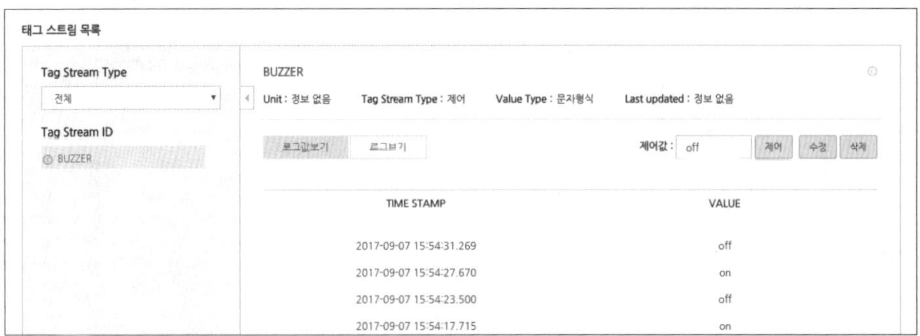

[그림 18-18] Buzzer 제어값 전송

④ 전송한 제어값에 따라 IoT Starter Kit의 Buzzer가 ON/OFF 되는 것을 확인할 수 있다. 또한, 시리얼 모니터에도 'Buzzer ON' 또는 'Buzzer OFF' 문장이 출력되는 것을 확인할 수 있다.

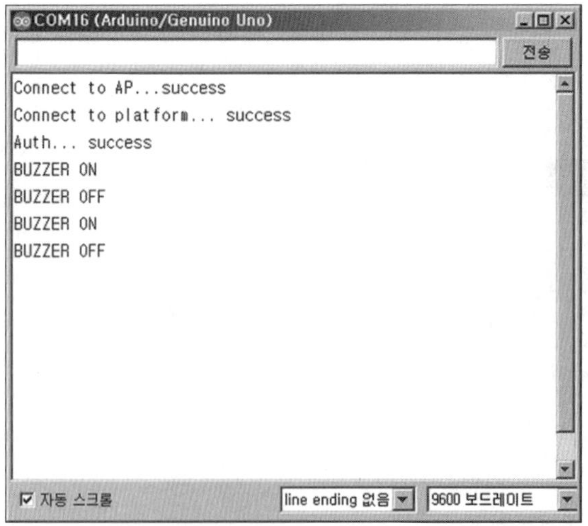

[그림 18-19] Buzzer 상태 출력

18.4 과제

1) KT Platform에서 'on' 명령어를 보냈을 때, Buzzer가 500 주파수로 동작하도록 펌웨어를 작성한다.
2) KT Platform에서 'on' 명령어를 보냈을 때, Buzzer가 1초 간격으로 100부터 500 주파수로 순차적으로 동작하도록 펌웨어를 작성한다.

PART
19

4차 산업혁명 요소 기술 아두이노를 이용한 IoT 디바이스 개발 실무

무선으로 실습하는 IoT
- Event 제어

PART 19 무선으로 실습하는 IoT- Event 제어

실습 목표

- ▶ WIFI 통신을 이용한 KT Platform의 접속 및 인증을 실행할 수 있다.
- ▶ IoTMakers에서 Event를 생성하여 특정 시간에 조도센서의 값에 따라 LED를 제어할 수 있다.

19.1 하드웨어 구성 확인하기

IoT에서 Event란 특정 조건에 따라 자동으로 제어할 수 있도록 하는 기능을 말한다. 예를 들어 집 안이 어두워지면 조명을 켜거나 가스가 누출되면 가스 밸브를 잠그는 등 센서와 제어가 연동하여 동작하는 것이다.

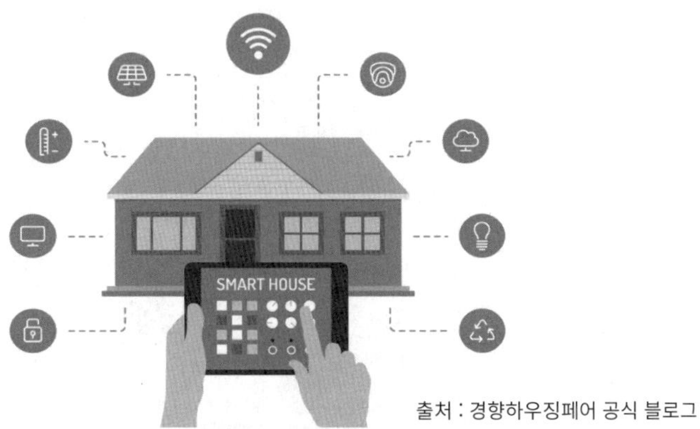

출처 : 경향하우징페어 공식 블로그

[그림 19-1] IoT 홈서비스

19.1.1 Event 실습 조건

빛의 밝기가 300 이하로 내려가면 LED가 ON이 되고, 스마트폰으로 알림 문자 메시지가 보내지도록 한다.

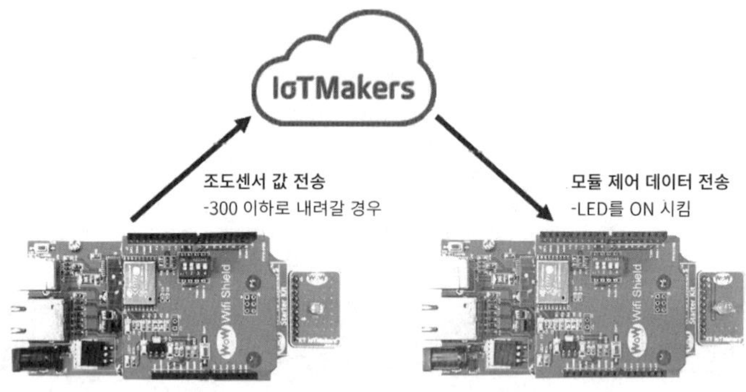

[그림 19-2] Event 조건

19.1.2 모듈 구성

(1) 조도센서 모듈

조도센서는 빛의 밝기를 측정하여 KT Flatform으로 데이터를 전송한다.

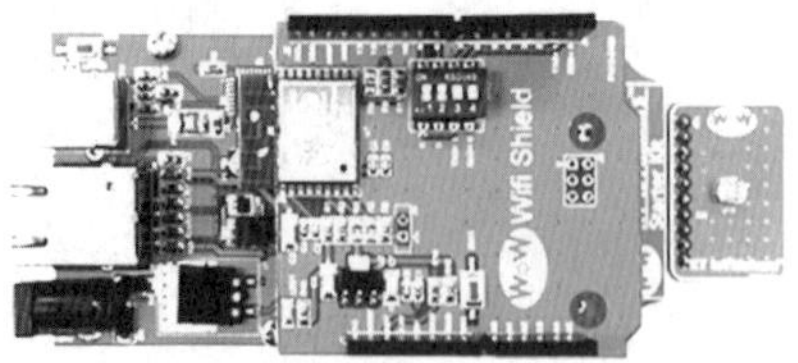

[그림 19-3] 조도센서 모듈 Starter Kit

(2) LED 모듈

LED는 빛의 밝기에 따라 LED를 제어한다.

[그림 19-4] LED 모듈 Starter Kit

19.2 개발 환경 구축

19.2.1 결선 방법 및 디바이스 생성

(1) 결선 방법

아래 그림과 같이 장비의 아래쪽에 모듈을 연결할 수 있는 컨넥터가 있다. 모듈을 연결 시 Starter Kit와 모듈의 연결 부분에 화살표가 마주 보는 상태로 연결되어야 한다.

만약 모듈을 뒤집어서 연결할 경우, VCC와 GND 전원 연결 핀이 반대로 연결되어 고장이 일어날 수 있으므로 뒤집어서 연결하지 않도록 주의한다.

■ 조도센서 모듈

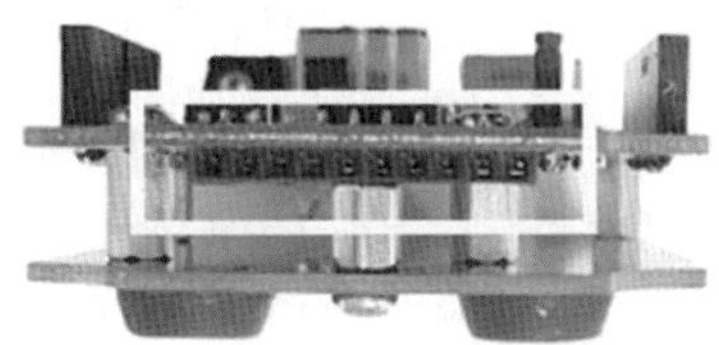

[그림 19-5] 모듈 컨넥터

[그림 19-6] 모듈 연결 방법

■ LED 모듈

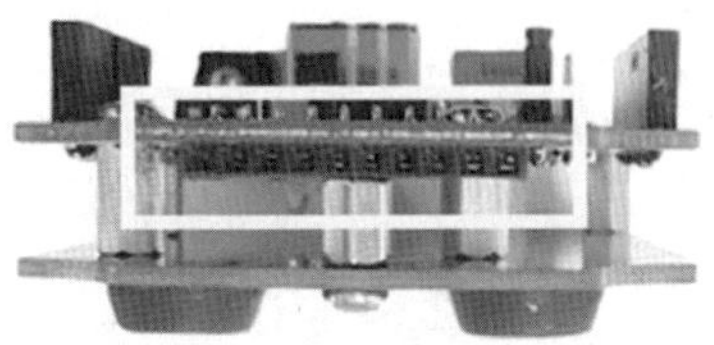

[그림 19-7] 모듈 컨넥터

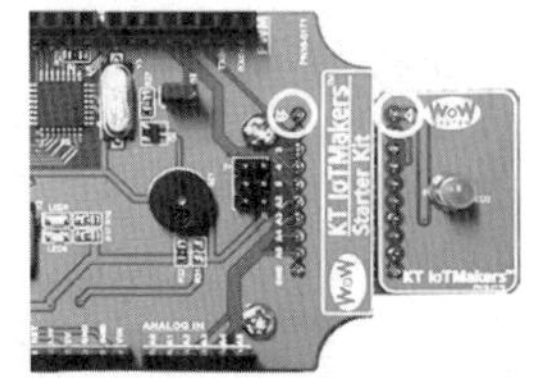

[그림 19-8] 모듈 연결 방법

(2) 디바이스 생성

앞의 실습에서 생성한 'KIT LED W'와 'KIT LIGHT W' 디바이스를 사용한다.

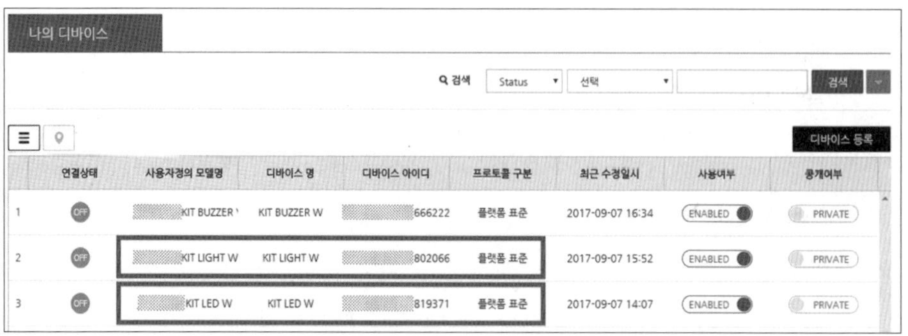

[그림 19-9] 디바이스 사용

19.2.2 펌웨어 설명

IoT Starter Kit 2개를 이용하여 Event 실습을 위해서는 각각의 Starter Kit에 조도센서 모니터링 펌웨어와 LED 제어 펌웨어를 업로드해야 한다. 실습에 사용할 펌웨어의 내용은 '무선으로 실습하는 IoT - LED 모듈 제어', '무선으로 실습하는 IoT - 조도센서 모듈 모니터링'의 펌웨어 내용을 참고한다.

19.2.3 장비 결선 및 업로드

① 2개의 Starter Kit를 PC와 USB Cable로 각각 연결한다. 이때 사용하려는 WiFi 공유기는 ON 되어 있어야 한다.

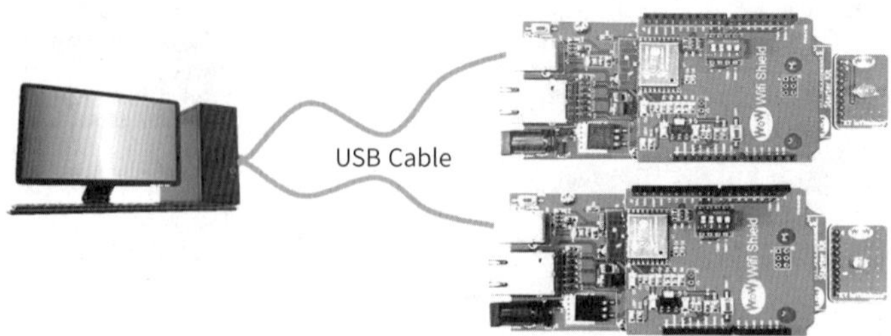

[그림 19-10] 장비 결선

② 각각의 펌웨어를 업로드한다.

③ 시리얼 모니터를 실행하고 통신 속도를 설정한다. (통신 속도는 기본으로 9600이 설정되어 있다.)

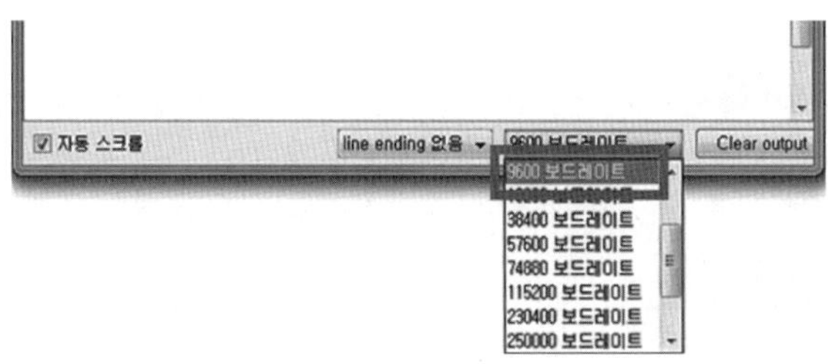

[그림 19-12] 통신 속도 설정

④ 디바이스와 연결이 성공하면 IoTMakers의 디바이스 연결 상태가 'ON'으로 변경되는 것을 확인할 수 있다.

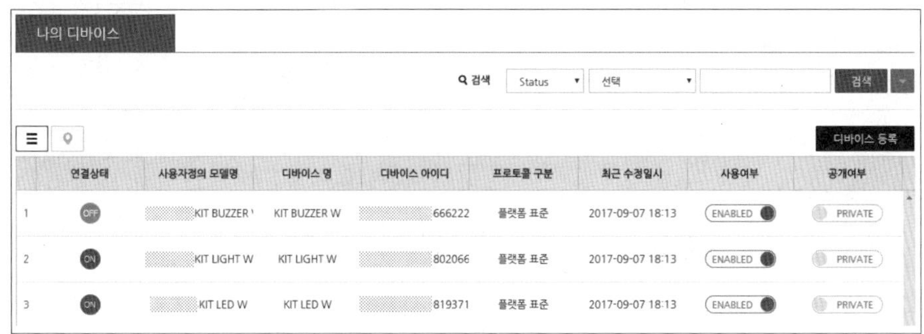

	연결상태	사용자정의 모델명	디바이스 명	디바이스 아이디	프로토콜 구분	최근 수정일시	사용여부	공개여부
1	OFF	KIT BUZZER	KIT BUZZER W	666222	플랫폼 표준	2017-09-07 18:13	ENABLED	PRIVATE
2	ON	KIT LIGHT W	KIT LIGHT W	802066	플랫폼 표준	2017-09-07 18:13	ENABLED	PRIVATE
3	ON	KIT LED W	KIT LED W	819371	플랫폼 표준	2017-09-07 18:13	ENABLED	PRIVATE

[그림 19-13] 디바이스 상태 변경

19.3 Event 만들기

19.3.1 Event 생성

① 'IoT 개발 〉 이벤트 관리'를 선택한다.

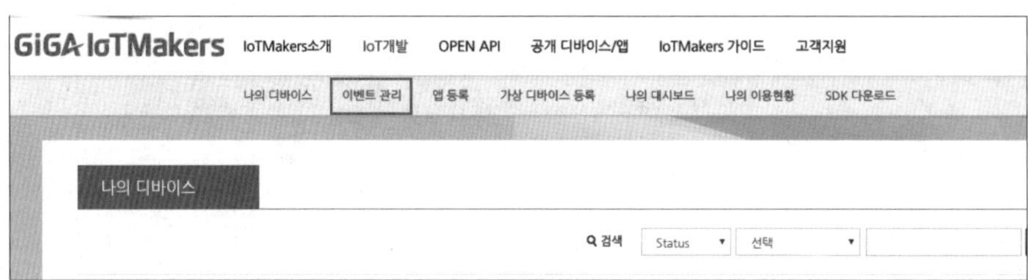

[그림 19-14] 이벤트 관리 선택

② '이벤트 등록' 버튼을 눌러 새로운 이벤트를 등록한다.

[그림 19-15] 이벤트 등록 선택

③ 데이터를 받아올 디바이스를 지정하기 위하여 Input의 '디바이스 데이터' 블록을 이벤트 보드에 드래그하여 생성한다.

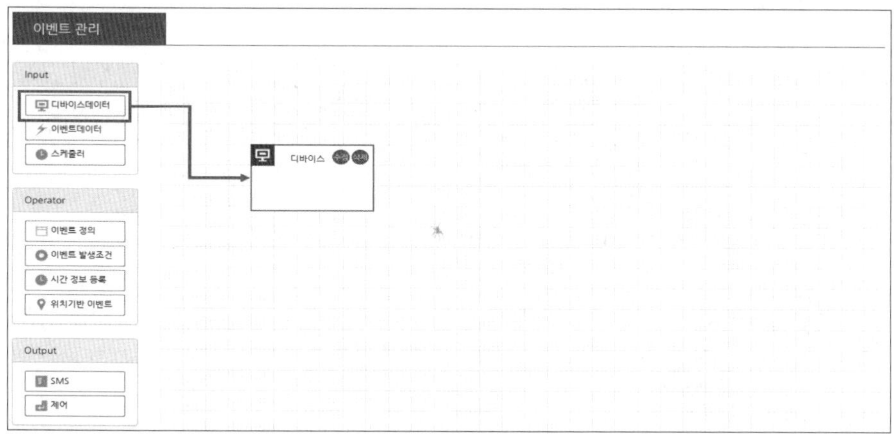

[그림 19-16] 디바이스 데이터

④ 생성한 블록을 더블클릭하거나 수정 버튼을 눌러 데이터를 가져올 디바이스를 설정한다. 조도센서값을 읽어 오기 위하여 앞에서 생성한 조도센서 디바이스 'KIT LIGHT W'를 선택한다. 자동으로 디바이스 아이디가 나타나면 설정을 저장한다.

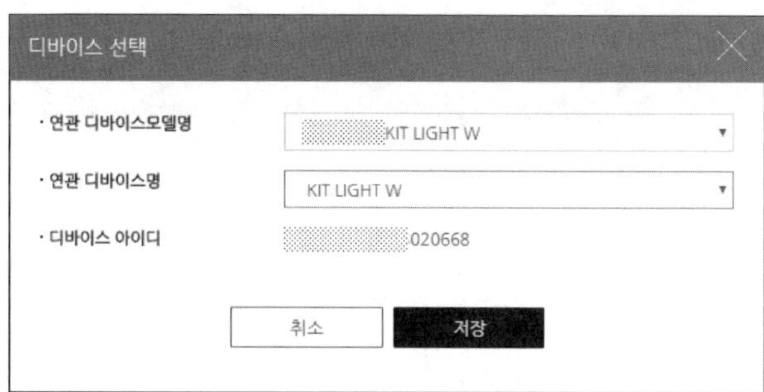

[그림 19-17] 이벤트 등록 선택

⑤ 이벤트를 생성하기 위하여 Operator의 '이벤트 정의' 블록을 드래그하여 생성한다.

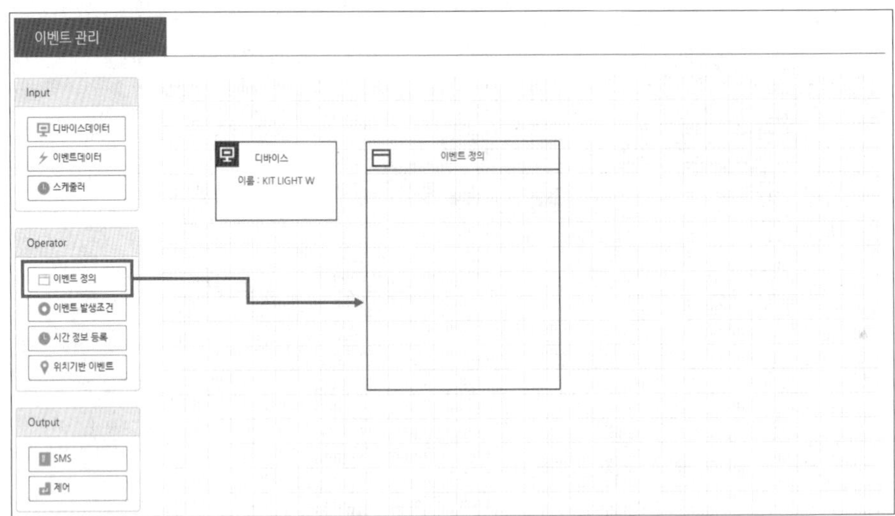

[그림 19-18] 디바이스 데이터

⑥ 블록을 더블클릭하여 이벤트의 기본 정보를 등록한다. 이벤트 구분은 기본 설정으로 두고, 이벤트 명은 '조도와 LED 제어'로 생성한다. 비고는 이벤트에 대한 자세한 설명을 작성할 수 있다. (입력하지 않아도 상관없다.) 등록된 정보를 저장한다.

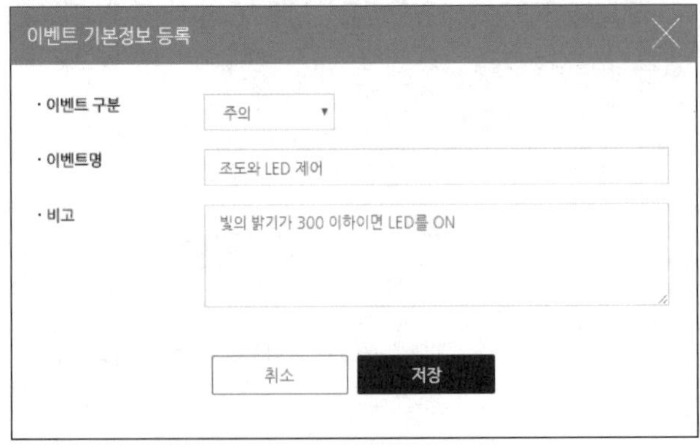

[그림 19-19] 디바이스 선택

⑦ 조도센서 디바이스의 입력 데이터를 받아올 수 있도록 디바이스와 이벤트 정의를 연결한다. 연결 방법은 디바이스 블록에 마우스를 올리면 연결할 수 있는 점이 나타난다. 이 점을 클릭하여 연결하고자 하는 블록에 끌어다 놓으면 연결이 완성된다.

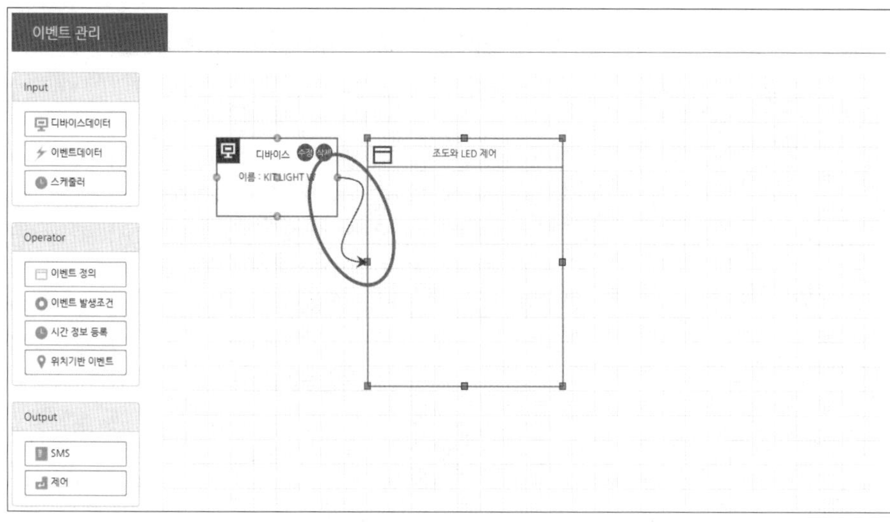

[그림 19-20] 이벤트 정의

⑧ 이벤트가 발생하기 위한 조건을 설정하기 위하여 Operator의 '이벤트 발생 조건' 블록을 '이벤트 정의' 블록 안으로 드래그하여 생성한다.

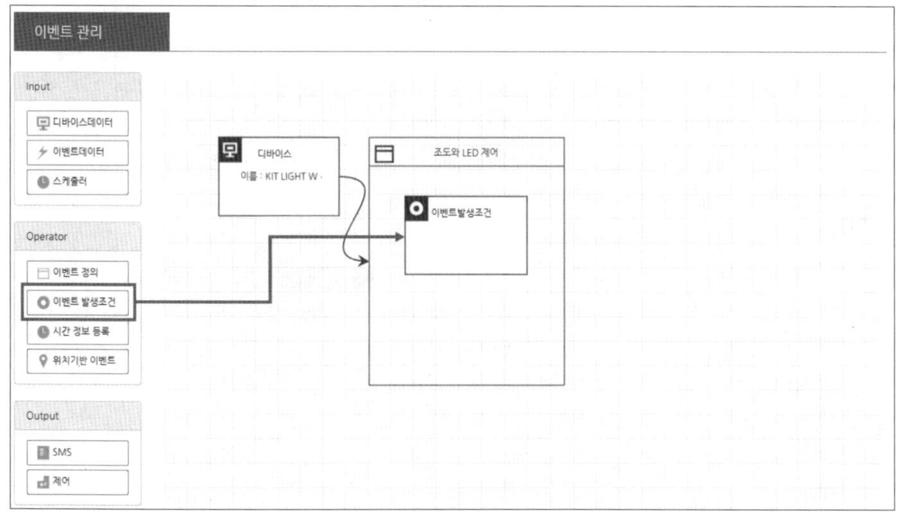

[그림 19-21] 이벤트 발생 조건

⑨ 블록을 더블클릭하여 이벤트 발생 조건을 등록한다. 조도센서의 데이터가 300 이하일 경우에 이벤트를 발생시키기 위하여 논리식을 입력한다. '디바이스 데이터'를 선택하고 조도센서의 TAG ID와 조건, 값을 차례로 입력한다.

[그림 19-22] 이벤트 발생 조건 등록

⑩ '추가하기' 버튼을 누르면 설정한 논리식이 상단에 표시되는 것을 확인할 수 있다. 입력한 논리식이 맞는지 확인 후 저장한다.

[그림 19-23] 이벤트 발생 조건 추가

⑪ 제어 방법을 설정하기 위하여 Output의 '제어' 블록을 드래그하여 생성한다.

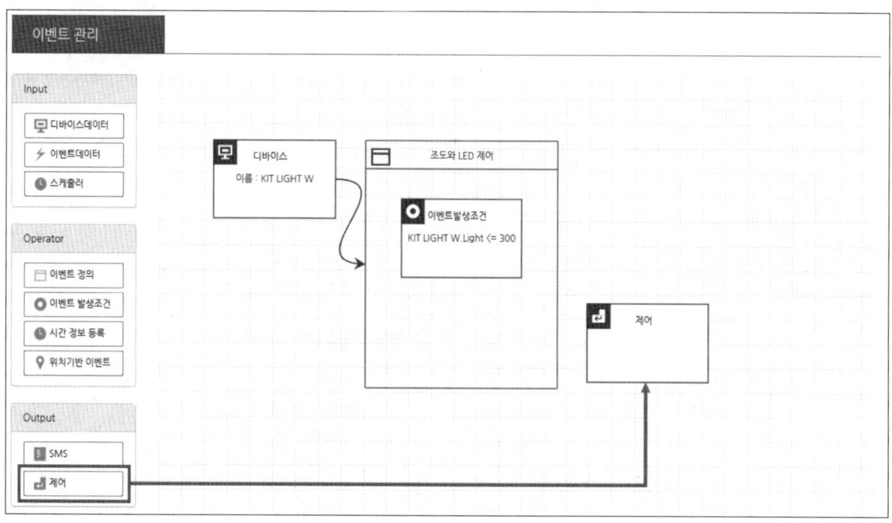

[그림 19-24] 제어

⑫ 블록을 더블클릭하여 수행할 제어를 설정한다. LED를 제어하기 위하여 앞에서 생성한 LED 디바이스 'KIT LED W'를 선택한다. TAG ID를 'LED', 타입은 '문자열'로 선택한 후 제어값은 'on'으로 입력한다.

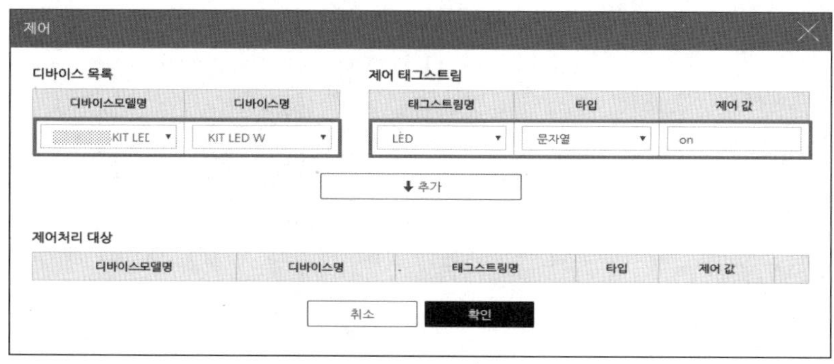

[그림 19-25] 제어 설정

⑬ '추가' 버튼을 누르면 설정한 제어값이 하단에 표시되는 것을 확인할 수 있다. 설정한 제어값이 맞는지 확인한다.

[그림 19-26] 제어 설정 추가

⑭ 발생 조건이 만족하면 제어가 될 수 있도록 이벤트 정의와 제어를 연결한다. 연결 방법은 디바이스 블록에 마우스를 올리면 연결할 수 있는 점이 나타난다. 이 점을 클릭하여 연결하고자 하는 블록에 끌어다 놓으면 연결이 완성된다.

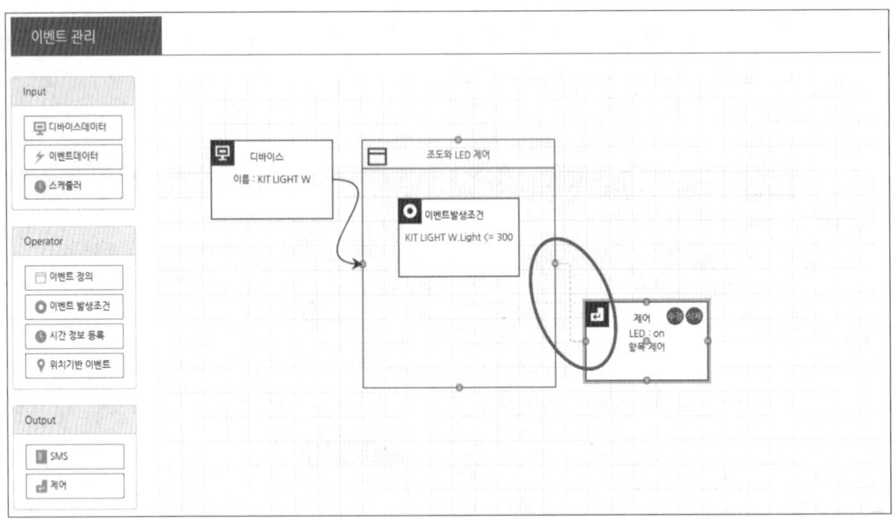

[그림 19-27] 블록 연결

⑮ 문자 메시지 서비스를 설정하기 위하여 Output의 'SMS' 블록을 드래그하여 생성한다.

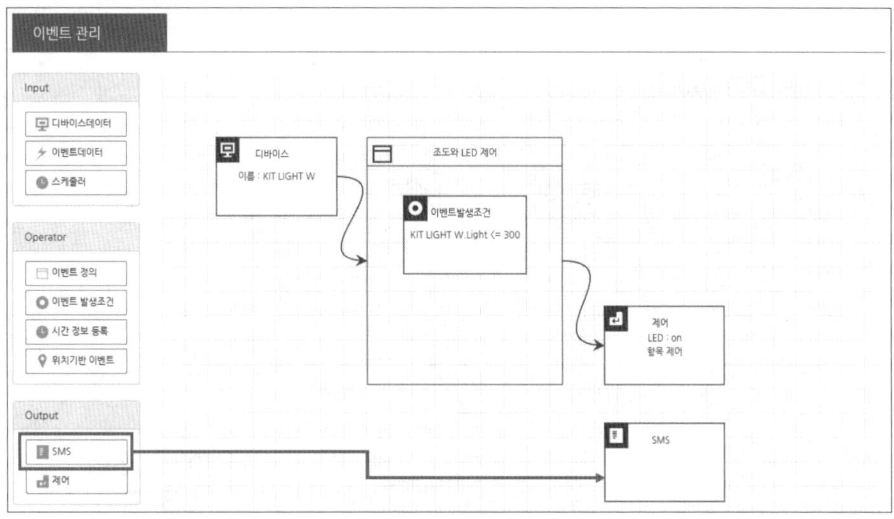

[그림 19-28] SMS

⑯ 블록을 더블클릭하여 문자 메시지의 내용을 설정한다. 문자 메시지를 받을 휴대전화 번호와 SMS 메시지를 입력한다.

[그림 19-29] SMS 설정

⑰ 발생 조건이 만족하면 문자 메시지가 발송될 수 있도록 이벤트 정의와 SMS를 연결한다. 연결 방법은 디바이스 블록에 마우스를 올리면 연결할 수 있는 점이 나타난다. 이 점을 클릭하여 연결하고자 하는 블록에 끌어다 놓으면 연결이 완성된다.

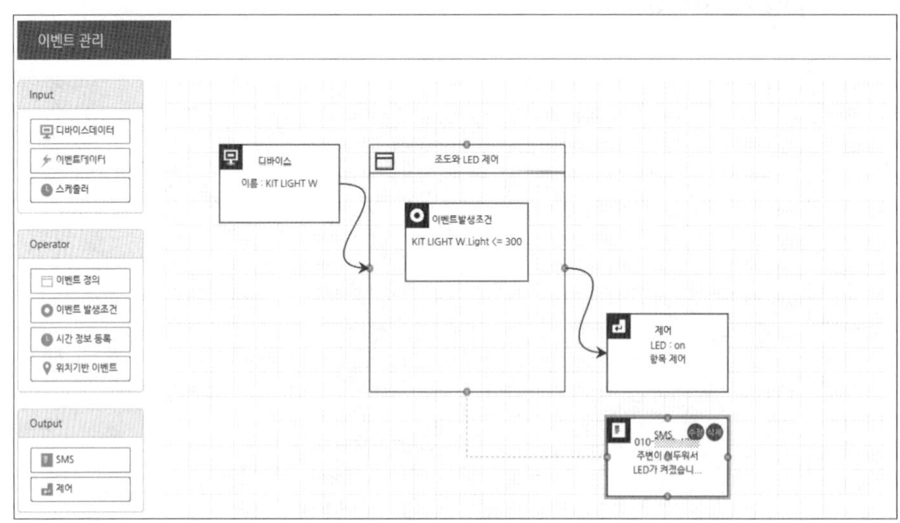

[그림 19-30] 블록 연결

⑱ 설정이 완료되면 우측 하단의 저장 버튼을 눌러 Event를 저장한다.

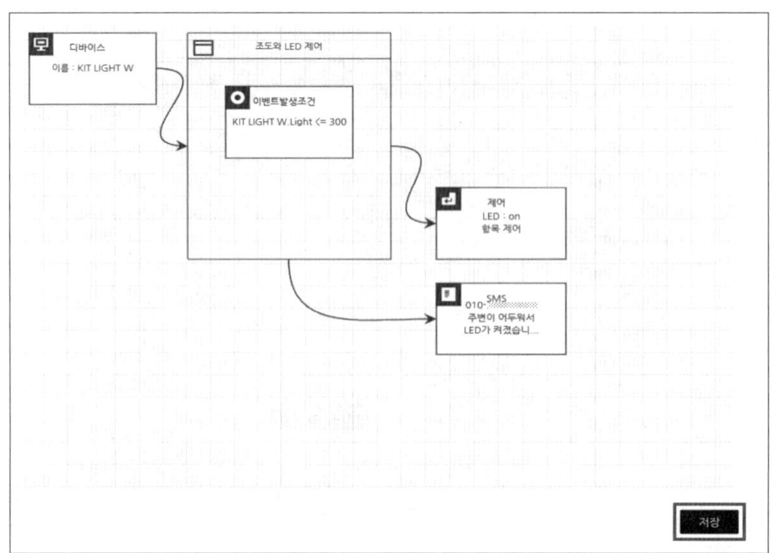

[그림 19-31] 이벤트 저장

⑲ 생성된 이벤트를 확인한다. 이벤트는 최초 생성되었을 때 ON 상태로 되어 있고, STATUS를 OFF로 하면 이벤트를 중지할 수 있다.

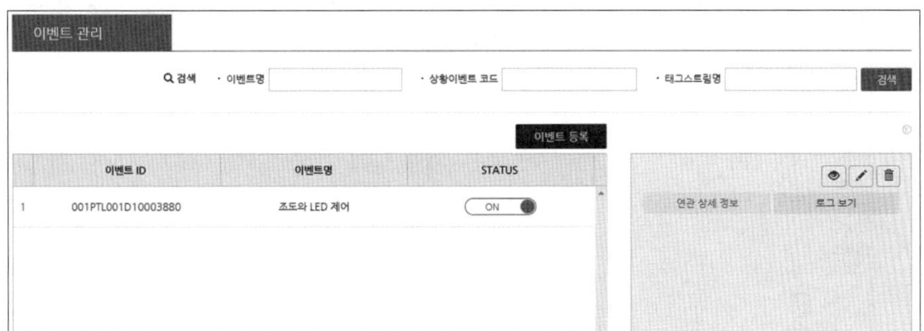

[그림 19-32] 이벤트 리스트

19.3.2 실행 결과

조도센서의 값이 300 이하로 낮아지면 LED가 ON이 되는 것을 확인할 수 있다.

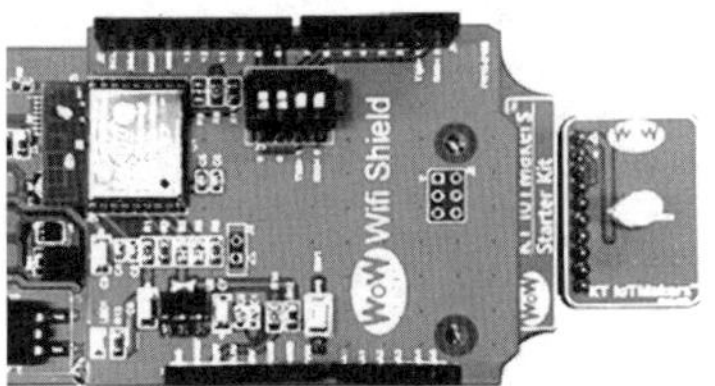

[그림 19-33] LED ON

또한, 입력한 스마트폰으로 문자 메시지도 함께 전송된다.

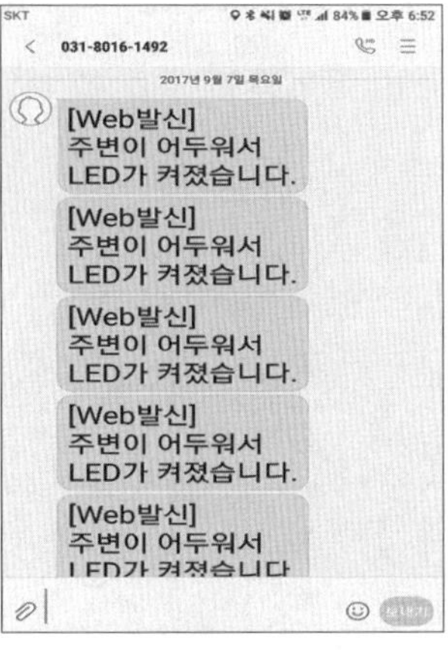

[그림 19-34]

시리얼 모니터에도 조도센서값과 LED의 상태가 각각 출력되는 것을 확인할 수 있다.

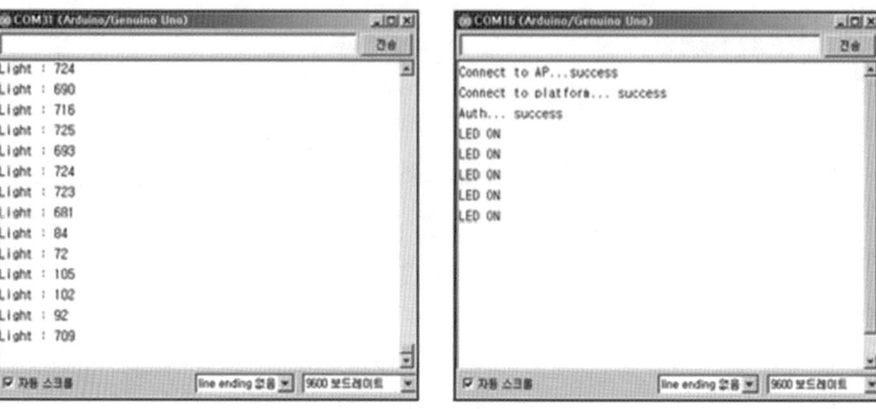

[그림 19-35] 시리얼 모니터 출력

19.4 과제

1) 'LED OFF' 이벤트를 새로 생성하여 조도센서의 값이 300 초과일 때 LED가 OFF되는 이벤트를 생성한다.
2) 과제 1의 이벤트에서 LED가 OFF 되었을 때 '주변이 밝아져서 LED가 꺼졌습니다.'라는 문자 메시지가 전송되는 이벤트를 생성한다.

[참고 자료]

김상훈, 4차 산업혁명 주요개념과 사례, KIET 산업경제(2017.05)
류재훈, 4차 산업혁명과 SW R&D 정책, IITP 주간기술동향 (2017.06.14)
민경식, 사물인터넷, 한국인터넷진흥원(www.kisa.or.kr)
배상태 외, 사물인터넷(IoT) 발전과 보안의 패러다임 변화, KISTEP InI 14호(2016.06)
정원규 외, 국내외 사물인터넷 정책 및 시장 동향과 주요 서비스 사례, KCA 동향과 전망 제64호 (2013.07)
㈜테크노베이션파트너스, 4차 산업혁명 정의 및 거시적 관점의 대응방안 연구, 산업통상자원부(2016.10)
Machael Miller, 생활을 변화시키는 사물인터넷, 영진닷컴

아두이노 IOT 스타터(Starter) KIT

포장박스
Internet of Things
KT IoTMakers Starter Kit
1. Starter Kit Main Board x 1ea
2. Wi-Fi Shield x 1ea
3. Motor Module x 1ea
4. 온도센서 Module x 1ea
5. LED Module x 1ea
6. FND Module x 1ea
7. 조도센서 Module x 1ea
8. Bread Board x 1ea
9. 초음파센서 x 1ea
10. Jumper Wire(m-m) x 20
11. 10K Ω 저항 x 2ea
12. 220 Ω 저항 x 3ea
13. LED x 3ea
14. Push Button x 1ea
15. Ethernet Cable x 1ea
16. USB Cable x 1ea

※ 사물인터넷(IOT)의 전체적인 흐름을 이해할 수 있도록 가장 기본이 되는 부품들로 세트 구성하였습니다.

※ 본 구성품들은 예고없이 변경 될 수 있습니다.

※ 기술 서비스 및 구매관련 문의처

- 구매처 : 네이버 스토어팜 http://storefarm.naver.com/wowsystem
- Starter Kit Guide Book : 네이버 블로그 https://blog.naver.com/wowsystem0

4차 산업혁명 요소 기술

IoT 아두이노를 이용한 IoT 디바이스 개발 실무

2018년 1월 25일 1판 1쇄 발 행
2020년 1월 10일 1판 2쇄 발 행

지 은 이 : 박현준 · 이상진 · 권민주

펴 낸 이 : 박정태

펴 낸 곳 : **광 문 각**

10881
경기도 파주시 파주출판문화도시 광인사길 161
광문각 B/D 4층
등 록 : 1991. 5. 31 제12-484호
전 화(代) : 031-955-8787
팩 스 : 031-955-3730
E-mail : kwangmk7@hanmail.net
홈페이지 : www.kwangmoonkag.co.kr

ISBN : 978-89-7093-871-4 93560

값 : 20,000원

한국과학기술출판협회회원

불법복사는 지적재산을 훔치는 범죄행위입니다.

저작권법 제97조 제5(권리의 침해죄)에 따라 위반자는 5년 이하의
징역 또는 5천만원 이하의 벌금에 처하거나 이를 병과할 수 있습니다.

저자와 협의하여 인지를 생략합니다.